# Madame Du Châtelet
## La femme des Lumières

Sous la direction d'Elisabeth Badinter
et Danielle Muzerelle

Bibliothèque nationale de France

Cet ouvrage est publié à l'occasion de l'exposition
« Madame Du Châtelet. La femme des Lumières »
présentée par la Bibliothèque nationale de France,
site Richelieu, du 7 mars au 3 juin 2006.

## Exposition

Commissariat
Danielle Muzerelle, conservateur en chef
à la bibliothèque de l'Arsenal

Conseiller scientifique
Elisabeth Badinter

Production au service des expositions
Sous la direction de Viviane Cabannes
Maud Calmé, chargée de l'exposition,
assistée d'Anne-Sophie Lazou et d'Aurélia Demay

Régie lumière
Serge Derouault, assisté de Philippe Benivady,
Franck Loumi, Hamid Jouhdy et de Paul Roth

Scénographie et graphisme
Alain Batifoulier, assisté de Simon de Tovar

Encadrement
Caroline Bruyant, Éric Galliache,
Valérie d'Angé d'Orsay, Alexandrine Chavagnac
et Solenn Chassin de Kergommeaux

Mannequinage
Agathe Sanjuan et Chantal Tapissier,
département des Arts du spectacle
Rébecca Léger, musée Galliéra

Restauration des documents de l'atelier
des grands formats
Alain Roger et Andrée Rigaux

Préparation des documents
au service de la conservation
Isabelle Stegnayitch

Réalisation des bornes sonores
au département de l'Audiovisuel
Bruno Sébald et Luc Verrier

Aménagement et réalisation graphique
Expo Nord

## Prêteurs

Paris
Archives nationales ; bibliothèque Mazarine ;
bibliothèque-musée de la Comédie-Française ;
Centre historique des Archives nationales ;
musée des Arts et Métiers, CNAM ; musée Carnavalet ;
musée de l'Armée ; musée de la Cinémathèque
française ; musée de la Musique ; musée du Louvre
(départements des Peintures, des Arts graphiques,
des Objets d'art ; musée Galliéra, musée de la Mode
de la Ville de Paris ; musée des Arts décoratifs

Province
Bordeaux, musée des Beaux-Arts ; Dijon, musée des
Beaux-Arts ; Nancy, archives de Meurthe-et-Moselle ;
Nancy, Musée lorrain et Société d'histoire de la Lorraine ;
Rouen, Académie des sciences, belles-lettres et arts
de Rouen ; Sèvres, musée national de Céramique ; Tours,
Société archéologique de Tours, musée Gouin ;
Valenciennes, musée des Beaux-Arts ; Versailles,
bibliothèque municipale ; Versailles, musée national
du Château de Versailles

Collections particulières
Charles Alain Bouhanna ; Philippe de Flers ; J. Patrick Lee ;
Evelyne Lever ; Maurice Lever ; Jean-Jacques Petit ;
Henri-François de Breteuil

## Édition

Direction éditoriale
Pierrette Crouzet

Suivi éditorial
Marie-Hélène Petitfour, avec la collaboration
de Geneviève Capgras

Iconographie
Nathalie Bréaud

Conception graphique et mise en pages intérieure
Virginie Greuzat

*Liberté · Égalité · Fraternité*
RÉPUBLIQUE FRANÇAISE

Ministère
Culture
Communication

© Bibliothèque nationale de France, 2006
ISBN 10 : 2-7177-2348-X
ISBN 13 : 978-2-7177-2348-9

## Remerciements

Nous tenons à remercier toutes les personnes qui nous ont prêté généreusement des documents ou pratiqué aide et conseils : Daniel Alcouffe ; Pierre Arrizzoli-Clémentel, directeur du musée national du Château de Versailles ; Geneviève Artigas-Menant, université de Paris XII ; Marc Bascou, directeur du département des Objets d'art du musée du Louvre ; Adélaïde Bataillon-Debes, château de Cirey ; Martine de Boisdeffre, directrice des Archives de France Patrick Bordeaux, administrateur du musée Gouin, Tours ; Bernadette de Boysson, musée des Arts décoratifs, Bordeaux ; Dominique Brême ; Général Bresse, directeur du musée de l'Armée, hôtel des Invalides ; Valérie Brousselle, archives du Val-de-Marne ; François Burckard, archiviste de l'académie de Rouen Élisabeth Caude, musée national du Château de Compiègne ; Dorothée Charles, UCAD ; Isabelle de Conihout, bibliothèque Mazarine ; Catherine Collin, musée des Arts décoratifs ; Martine Constans, Archives nationales, Minutier central ; Frédéric Dassas, directeur du musée de la Musique de la Villette ; Henri Decaëns, président de l'Académie des sciences, belles-lettres et arts de Rouen ; Emmanuelle Delapierre, directeur du musée des Beaux-arts de Valenciennes ; Nathalie Derra, musée international de la Parfumerie, Grasse ; Madeleine Drioud, musée Galliéra ; Jacques Dubois, Société archéologique de Tours ; Rebecca Du Plessis, Voltaire Foundation, Oxford ; Gérard Ermisse, directeur du Centre historique des Archives nationales ; Antoinette Fay Hallé, directeur du Musée national de céramique de Sèvres ; Dominique Flon, président du Musée lorrain et de la Société d'histoire de la Lorraine ; Marie-José Fras, Archives nationales ; Pascale Gorguet Ballesteros, musée Galliéra ; Gilles Grandjean, musée Crozatier, Le Puy-en-Velay ; Marie-Françoise Grasse, directeur du musée international de la Parfumerie, Grasse ; Claudine Hermann, vice-présidente de l'association Femmes et sciences ; Joël Huthwohl, bibliothèque-musée de la Comédie-Française ; Bernard Jacqué, musée du Papier peint, Mulhouse ; Jacqueline Jacqué, musée de l'Impression sur étoffe, Mulhouse ; Alain Jacquet, président de la Société archéologique de Tours ; Catherine Join-Dieterle, directeur du musée Galliéra ; Sophie Jugie, directeur du musée des Beaux-Arts de Dijon ; Madeleine Jurgens, archiviste-paléographe ; Mireille Klein, musée de l'Armée ; Thierry Lalande, musée des Arts et Métiers, CNAM ; Annette Laumon, château de Lunéville ; Olivier Le Bihan, directeur du musée des Beaux-Arts de Bordeaux ; Rébecca Léger, musée Galliéra ; Jean-Marc Léri, directeur du musée Carnavalet ; Philippe Le Leyzour, musée des Beaux-Arts, Tours ; Mme de Leusse ; Evelyne Lever ; Maurice Lever ; Henri Loyrette, président-directeur du musée du Louvre ; Gérard Mabille, musée du Louvre ; Philippe Malgouyres, musée du Louvre ; Jonathan Mallinson, Voltaire Foundation, Oxford ; Laurent Mannoni, directeur du musée de la Cinémathèque française ; Tifenn Martinot-Lagarde, Direction du livre et de la lecture ; Alain Mercier, musée des Arts et Métiers, CNAM ; Françoise Minost, office de tourisme de Semur-en-Auxois ; Éric Moinet, directeur du Musée lorrain et de la Société d'histoire de la Lorraine ; Françoise Mosser, Archives nationales, Minutier central ; Sophie Motsch, musée des Arts décoratifs ; Michel Ollion, Archives nationales, Minutier central ; Laurence Paye-Jeanneney, administratrice générale du Conservatoire national des arts et métiers ; Christian Péligry, directeur de la Bibliothèque Mazarine ; Jacques Pérot, musée national du Château de Compiègne ; Jean-Jacques Petit ; Vincent Pomarède, directeur du département des Peintures du musée du Louvre ; Tamara Préaud, archives de la Manufacture de Sèvres ; Christelle Quillet, bibliothèque municipale de Rouen ; Marie-Françoise Rose, directrice de la bibliothèque municipale de Versailles ; M. et Mme Hugues de Salignac-Fénelon, château de Cirey ; Béatrice Salmon, directrice du musée des Arts décoratifs ; Xavier Salmon, musée national du Château de Versailles ; Hélène Say, directeur des archives de Meurthe et Moselle ; Catriona Seth, université de Rouen ; Daniel Thoulouze, directeur du musée des Arts et Métiers ; Mireille Touzery, université de Paris XII ; Carel Van Tuyll, directeur du département des Arts graphiques du musée du Louvre

À la Bibliothèque nationale de France, nous remercions tous ceux qui ont, à des titres divers, œuvré à la préparation de cette exposition et à la réalisation de son catalogue, et en particulier les conservateurs et correspondants dans les départements : Jocelyn Bouquillard, Yann Fauchois, Noëlle Giret, Marie-José Kerhoas, Corinne Le Bitouzé, Béatrice Mairé, Jean-Louis Pailhès, Maxime Préaud, Agathe Sanjuan, Madeleine de Terris, Magali Vène.

Nous tenons enfin à adresser nos remerciements à tous les participants à cet ouvrage : Henri-François de Breteuil, Madeleine Drioud, Pascale Gorguet-Ballesteros, Marie-Françoise Grasse, Keiko Kawashima, J. Patrick Lee, Massimo Mazzotti, Bertrand Rondot, Jean-Nérée Ronfort, Michèle Sacquin, Bertram E. Schwarzbach, Judith P. Zinsser

## Les auteurs

**Elisabeth Badinter**, écrivain et philosophe, a notamment publié : *Émilie, Émilie. L'ambition féminine au XVIII* *siècle* (Flammarion, 1980); préface du *Discours sur le bonheur*, de M^me Du Châtelet (Rivage Poche, 1997); *Les Passions intellectuelles*, t. I, *Désirs de gloire* (Fayard, 1999); t. II, *Exigences de dignité* (Fayard, 2002).

**Danielle Muzerelle**, archiviste-paléographe, est conservateur en chef chargée des manuscrits à la bibliothèque de l'Arsenal; elle a assuré le commissariat de « Richesses de l'Arsenal » (BNF, 1997) et a collaboré à de nombreuses autres expositions; spécialiste de l'histoire des bibliothèques au XVIII^e siècle, elle a écrit plusieurs articles sur ce sujet.

**Henri-François de Breteuil**, dixième marquis de Breteuil, descendant de M^me Du Châtelet, administre avec son épouse Séverine le château de Breteuil, vaste demeure historique du XVII^e siècle dominant la vallée de Chevreuse et ouverte aux visiteurs.

**Gérard G. Emch**, mathématicien et physicien, est professeur de mathématiques émérite au département Mathématiques de l'université de Floride (Gainesville, FL); il est l'auteur, avec Antoinette Emch-Dériaz de : « Is Madame Du Châtelet a Fair Presentation of Newton's *Principia* ? », conférence tenue au X^e Congrès international des Lumières, à Dublin en 1999.

**Antoinette Emch-Dériaz**, historienne des sciences, est professeur au département Histoire de l'université de Floride (Gainesville, FL).

**Keiko Kawashima** est professeur adjoint à l'Institut universitaire de technologie de Nagoya, au Japon et spécialiste des études sur le genre et sur l'histoire des sciences au siècle des Lumières. Elle est l'auteur de : « The Issue of Gender and Science. A Case Study of Madame Du Châtelet's *Dissertation sur le feu* » (*Historia Scientiarum*, vol. 15-1, 2005, p. 23-43); « Madame Du Châtelet et Madame Lavoisier, deux femmes de science » (*La Revue du musée des Arts et Métiers*, mars 1998, p. 22-29); « Madame Du Châtelet dans le journalisme » (*Llull*, vol. 18, 1995, p. 471-491).

**Bertrand Rondot** est conservateur du patrimoine en charge du département XVII^e-XVIII^e siècle au musée des Arts décoratifs (Paris) et des collections du musée Nissim de Camondo. Spécialiste du mobilier et du décor intérieur du XVIII^e siècle français, ses études portent plus particulièrement sur l'étude de la porcelaine tendre en France au XVIII^e siècle; outre de nombreux articles, il a notamment publié : *Discovering the Secret of Soft-Paste Porcelain at the Saint-Cloud Manufactory* (catalogue d'exposition, New York, Bard Graduate Center for Studies in the Decorative Arts, Yale University Press, 1999); « De la rocaille au goût grec » (catalogue de l'exposition *Madame de Pompadour et les arts* au château de Versailles, RMN, 2002); *Musée Nissim de Camondo. Catalogue des collections* (édition revue et augmentée, RMN, 1998).

**Bertram E. Schwarzbach**, spécialiste des études bibliques au XVIII^e siècle, a assuré l'édition critique des *Examens de la Bible* de M^me Du Châtelet (Champion, 2006) et prépare l'édition critique de *La Bible enfin expliquée* pour l'édition d'Oxford des *Œuvres complètes* de Voltaire.

**Judith Zinsser**, professeur au département Histoire de l'université de Miami (Oxford, OH) depuis 1993, est spécialiste de l'histoire des femmes. Elle fait partie du comité d'organisation du tricentenaire de M^me Du Châtelet et prépare actuellement plusieurs ouvrages : *La Dame d'esprit. A Biography of the Marquise Du Châtelet* (Viking Penguin, à paraître en 2006); *Émilie Du Châtelet philosophe* (Voltaire Foundation, *SVEC*, à paraître en 2006); *The Marquise Du Châtelet. Selected Writings* (Université de Chicago, coll. « The Other Voice of Early Modern Europe », à paraître en 2007).

Toutes les notices de cet ouvrage ont été rédigées par Danielle Muzerelle, à l'exception de quelques-unes d'entre elles signées des initiales de leurs auteurs. Il s'agit de : Pascale Gorguet-Ballesteros (P. G. B.), conservateur au musée Galliéra; Madeleine Drioud (M. D), musée Galliéra; Marie-Françoise Grasse (M. F. G.), directrice du musée international de la Parfumerie de Grasse; Massimo Mazzotti, chercheur; J. Patrick Lee, chercheur; Bertrand Rondot (B. R.), conservateur au musée des Arts décoratifs; Jean-Nérée Ronfort (J.-N. R.); Michèle Sacquin (M. S.), conservateur au département des Manuscrits de la BNF; Bertram E. Schwarzbach (B. E. S.), chercheur.

# Sommaire

7   Préface
Jean-Noël Jeanneney

9   Une femme dans tous ses états
Elisabeth Badinter

12   Chronologie
Elisabeth Badinter

## Une aristocrate

15   Le cercle de famille d'Émilie de Breteuil
Henri-François de Breteuil

18   Les Breteuil
catalogue nos 1 à 13

23   Les Du Châtelet
catalogue nos 14 à 22

27   Les relations sociales et amicales
de la marquise
Elisabeth Badinter

30   À Paris et à la cour
catalogue nos 23 à 36

33   Les châteaux
catalogue nos 37 à 41

35   Bruxelles
catalogue nos 42 à 43

37   Lunéville
catalogue nos 44 à 47

## Une femme de passion

41   Les excès de la passion
Elisabeth Badinter

44   Les divertissements de la cour
catalogue nos 1 à 7

48   Une femme à la mode
catalogue nos 8 à 14

52   Les plaisirs de Cirey
catalogue nos 15 à 24

55   Le goût d'une femme de son temps
Bertrand Rondot
catalogue nos 25 à 29

70   Une amoureuse
catalogue nos 30 à 67

## Une femme de science

85   Une intellectuelle hors pair
Elisabeth Badinter

88   Éducation et débuts
catalogue nos 1 à 8

90   Mathématicienne et comment !
Antoinette Emch Dériaz et Gérard Emch

93   À Cirey avec Voltaire
catalogue nos 9 à 27

99   La querelle des forces vives : le débat entre
Mme Du Châtelet et Dortous de Mairan
Keiko Kawashima
catalogue nos 28 à 37

103   Le cabinet de physique de Cirey
Danielle Muzerelle
catalogue nos 38 à 43

105   Mme Du Châtelet et la Bible
Bertram E. Schwarzbach
catalogue nos 44 à 53

109   Autres œuvres
catalogue nos 54 à 56

111   La bibliothèque de Mme Du Châtelet
Danielle Muzerelle
catalogue nos 57 à 60

112   Académies et femmes savantes
Danielle Muzerelle
catalogue nos 61 à 64

114   Regards sur Mme Du Châtelet
Danielle Muzerelle
catalogue nos 65 à 73

118   Madame Du Châtelet et les historiens
Judith P. Zinsser

122   Éléments de bibliographie

126   Index

# Préface

Au début du mois de septembre 1749, M^me Du Châtelet, convaincue de sa mort prochaine, envoie au garde de la Bibliothèque du roi, l'abbé Sallier, le manuscrit de sa traduction de Newton, en le suppliant «de bien vouloir mettre un numéro à ces manuscrits et les faire enregistrer afin qu'ils ne soient pas perdus». Démarche étonnante pour l'époque – puisqu'on voit généralement en Victor Hugo le premier écrivain soucieux de la préservation de ses manuscrits.

Cette femme exceptionnelle, soucieuse à juste titre de la pérennité de son œuvre, méritait bien qu'à l'occasion du tricentenaire de sa naissance (1706) la Bibliothèque nationale de France lui rendît hommage par une exposition à elle consacrée, dans un lieu qu'elle connaissait bien et qu'elle fréquentait : sa dernière résidence parisienne, rue Traversière – aujourd'hui rue Molière –, était toute proche.

Longtemps Gabrielle Émilie de Breteuil, marquise Du Châtelet, n'aura figuré dans l'histoire de la pensée au XVIII^e siècle que comme la «divine Émilie» de Voltaire. Déjà ses contemporaines – M^me Du Deffand et bien d'autres –, jalouses de cette ambitieuse qui s'était hasardée sur des terrains où les femmes n'avaient pas encore leur place et qui ne se pliait pas à la dictature des salons, assuraient qu'elle ne survivrait qu'à travers son illustre amant. On ne peut certes pas reprocher la même condescendance à Voltaire luimême, puisqu'il n'a jamais cessé de proclamer son profond respect pour l'œuvre scientifique de sa compagne, de celle qu'il qualifiait de «grand homme». Ni muse ni égérie, M^me Du Châtelet fut, auprès de lui, une collaboratrice et une inspiratrice, aidant à la métamorphose du poète en philosophe et construisant à son côté une œuvre originale – la sienne. Pourtant le portrait qui s'est le plus souvent imposé est malheureusement celui qu'a transmis un XIX^e siècle misogyne et bien-pensant, qui préférait ne la voir qu'à travers les légendes désobligeantes colportées par ses ennemis.

Certes Sainte-Beuve, clairvoyant, a pu écrire : «M^me Du Châtelet n'était pas une personne vulgaire; elle occupe dans la haute littérature et dans la philosophie un rang dont il était plus aisé aux femmes de son temps de sourire que de le lui disputer. L'amour, l'amitié que Voltaire eut pour elle étaient fondés sur l'admiration même, sur une admiration qui ne s'est démentie à aucune époque; et un homme comme Voltaire n'était jamais assez amoureux pour que l'esprit chez lui pût être longtemps la dupe du cœur. Il fallait donc que M^me Du Châtelet eût de vrais titres à cette admiration d'un juge excellent, et c'est un premier titre déjà que de l'avoir su à ce point retenir et charmer. » Ce propos trouve son écho chez Louise Colet, l'amie de Flaubert qui, dans la biographie qu'elle consacra à Émilie en 1846, tenta timidement de dire la même chose : la personnalité des femmes, regrettait-elle, «se confond dans celle de l'homme qui les a dominées. Ce qu'elles eurent d'originalité, de grandeur et quelquefois de génie, ne leur est reconnu que comme un reflet de l'esprit de l'homme célèbre qu'elles ont aimé». Mais en face, combien de regards sévères et ironiques sur la femme du XVIIIᵉ siècle telle que décrite par les Goncourt : futile, écervelée, voire dépravée !

Quand meurt Émilie Du Châtelet, Voltaire écrit : «J'ai perdu un ami de vingt-cinq années, un grand homme qui n'avait de défaut que d'être femme [...]. On ne lui a pas peut-être rendu justice pendant sa vie.» Il faudra en effet attendre le milieu du XXᵉ siècle pour qu'Ira O. Wade, étudiant les manuscrits conservés dans la bibliothèque de Voltaire à Saint-Pétersbourg, lui restitue sa juste place : celle d'une véritable femme de science dont l'esprit a gardé toute son indépendance en face du grand philosophe. C'est aussi le jugement de Robert Mauzi, dans une préface à son édition du *Discours sur le bonheur*; c'est enfin celui d'Elisabeth Badinter qui a relancé l'intérêt pour cette grande figure féminine, et qui est à l'origine de cette exposition dont elle a bien voulu se faire, avec l'intelligence et le brio qu'on lui connaît, le conseiller scientifique.

Les contributions variées à ce catalogue, qui viennent de France mais aussi des États-Unis ou du Japon et débordent du seul cercle des voltairiens, attestent que le rôle précurseur d'Émilie Du Châtelet est désormais reconnu.

En cette année où nous célébrons les «Lumières» au travers d'une exposition offerte en parallèle, nous avons souhaité contribuer à une action de justice : que la «femme des Lumières» supplante définitivement la «divine Émilie».

Jean-Noël Jeanneney,
Président de la Bibliothèque nationale de France.

# Une femme dans tous ses états
Elisabeth Badinter

Durant plus de deux siècles, la marquise Du Châtelet n'échappa à l'oubli que par la grâce de Voltaire dont elle fut la compagne pendant près de seize ans. Ce n'est que dans la seconde partie du XXᵉ siècle, avec la publication de sa correspondance et l'intérêt renouvelé pour l'histoire des femmes, que l'on prit conscience tout à la fois de l'originalité et de la modernité de sa personnalité ainsi que de son statut d'intellectuelle hors pair. En effet, Émilie Du Châtelet ne fut rien moins que la première femme authentiquement savante de l'époque moderne et la lointaine ancêtre des filles de notre temps, ambitieuses pour elles-mêmes et avides d'autonomie. Ce qui lui valut les sarcasmes haineux de ses contemporain(e)s est justement ce qui nous la rend proche et admirable aujourd'hui. Tournant le dos aux normes de la féminité de son époque et de sa classe, Émilie Du Châtelet prétendit investir les territoires masculins de la science et de la philosophie tout en prônant la nécessité des passions et des illusions. «Nous n'avons rien à faire dans ce monde, disait-elle, qu'à nous procurer des sensations et des sentiments agréables.» Non de façon discrète ou dissimulée comme la plupart de ses amies, mais de manière ostentatoire et souvent excessive, à la manière des hommes. En vérité, ce qui a le plus déconcerté ses contemporains, c'est l'aspect androgynal de sa personnalité, doublé d'un tempérament qui la portait aux extrêmes.

Fut-elle «belle et jolie» comme l'affirment ses amants Maupertuis et Voltaire, ainsi que Mᵐᵉ Denis qui ne l'aimait guère, plutôt séduisante aux dires de Mᵐᵉ de Graffigny, ou bien fut-elle conforme au portrait repoussant qu'en a laissé sa principale ennemie, Mᵐᵉ Du Deffand : «Représentez-vous une femme grande et sèche, sans cul, sans hanches, la poitrine étroite, deux petits tétons arrivant de fort loin, de gros bras, de grosses jambes, des pieds énormes, une très petite tête, le visage aigu, le nez pointu, deux petits yeux vert de mer, le teint noir rouge, échauffé, la bouche plate, les dents clairsemées, et extrêmement gâtées?» Ce qui est sûr, c'est qu'elle fut excessivement soucieuse de son apparence, cherchant à camoufler une virilité du corps (grande, sans cul, sans hanches, poitrine étroite…) et de l'esprit sous un amas de fanfreluches. Probablement inquiète de sa féminité et de son pouvoir de séduction, Émilie ne se montrait en public qu'extrêmement maquillée et couverte de diamants, de pompons, de rubans et autres nœuds ou pierreries. À tel point qu'on en riait sous cape dans les salons et que Voltaire l'appelait tendrement «Madame Pompon Newton», signifiant par là qu'elle restait femme par son goût immodéré de la parure malgré sa passion toute virile pour la physique et la géométrie.

Nul doute que cette aristocrate fort consciente de ses privilèges vivait cette dualité avec une liberté exceptionnelle en son temps. Dotée de caractéristiques généralement attribuées à l'un ou l'autre sexe, elle incarnait une parfaite union des contraires. Vices et vertus compris. Sérieuse et ludique, elle alternait dans la même journée le jeu sous toutes ses formes et les études les plus austères. Autoritaire et méprisante, notamment avec les subalternes, elle savait aussi être charmante voire soumise quand elle voulait séduire. Libre de ses choix et de ses mouvements, elle alla s'installer à Cirey, propriété de son mari, avec son amant Voltaire, tout en restant soucieuse de la bienséance. Audacieuse dans ses options intellectuelles et morales, elle flirtait avec l'athéisme mais clamait qu'elle avait besoin de Dieu pour fonder sa physique. Mère de deux enfants, un garçon et une fille, elle remplit ses devoirs sans tendresse excessive, se réservant le rôle de mère abusive pour les hommes qu'elle aimait, en particulier Voltaire et Saint-Lambert. D'un orgueil et d'une ambition intellectuelle rarement vus chez une femme de cette époque, elle avait aussi la modestie qui sied à l'authentique philosophe. À l'heure du bilan, elle saura se regarder avec la distance et la lucidité qui manquent parfois aux hommes.

D'une énergie hors du commun – elle ne dormait que trois ou quatre heures par nuit –, Émilie Du Châtelet vécut dans l'excès. Travail, amours, distractions, elle a ignoré la juste mesure jusqu'à la fin de sa courte existence. Brûlant la vie de toutes les manières, elle mourra à quarante-deux ans en accouchant d'une petite fille, la bâtarde de Saint-Lambert. Mais il n'est pas absurde de penser que cette vie-là fut infiniment plus riche et fascinante que celle de toutes ses connaissances qui lui survécurent, et en particulier de la célèbre M$^{me}$ Du Deffand qui, en dépit d'un esprit et d'une finesse sans pareil, quitta le monde à quatre-vingt-trois ans, malade d'ennui et de mélancolie.

L'un des secrets de cette femme d'exception réside dans la conjonction heureuse, mais rare au XVIII$^e$ siècle, de dons intellectuels et d'une éducation atypique. Fille d'un second mariage du baron de Breteuil avec l'austère et vertueuse Gabrielle Anne de Froulay, Gabrielle-Émilie bénéficie d'une attention remarquable de la part de ses parents. Son père a déjà cinquante-huit ans lors de sa naissance. Pour elle, il a toutes les faiblesses d'un grand-père et la tendresse d'un père. Contrairement à l'usage, point de couvent, ou si peu. L'essentiel de son éducation a lieu sous le toit familial dans le respect des choses de l'esprit. Sans égard pour les préjugés, on élève la petite fille comme ses deux frères : libre accès à la riche bibliothèque paternelle, autorisation d'avoir une bible dans sa chambre et de poser toutes les questions qui lui passent par la tête. Très jeune, elle se passionne pour l'étude. Tout l'intéresse, le latin où elle brille, mais aussi, grâce à son père, l'italien et l'anglais. Plus original encore, ses parents entretiennent chez elle le goût des mathématiques et de la métaphysique, matières difficiles, peu étudiées dans les collèges et réservées au sexe masculin.

Fait rarissime dans l'histoire de l'éducation des filles, on lui fait donner des leçons dans ces deux disciplines. Le résultat est surprenant. Très jeune, elle traduit des parties de l'*Énéide*, apprend par cœur les plus beaux morceaux d'Horace, de Virgile et de Lucrèce. Elle se passionne pour la philosophie anglaise et lit Locke dans le texte. Autorisée à rester au salon quand ses parents reçoivent et à intervenir dans la conversation, elle demande à Fontenelle de lui expliquer ses *Entretiens sur la pluralité des mondes*. Il lui parle de physique et d'astronomie. Il lui aurait même procuré certaines communications de l'Académie des sciences, comme celles du célèbre Cassini sur les satellites de Saturne.

Cette éducation hors du commun permit l'épanouissement d'une nature exceptionnelle. Arrivée à l'âge adulte, mariée et mère de deux enfants, ayant payé son tribut à la vie sociale et mondaine, elle décide de se consacrer à Voltaire et à la vie intellectuelle. Installée avec lui dans la solitude du château de Cirey, aux confins de la Lorraine, elle prend conscience de la nécessité de revenir à sa première passion, celle de l'étude : « Depuis que j'ai commencé à vivre avec moi, et à faire attention au prix du temps, à la brièveté de la vie, à l'inutilité des choses auxquelles on la passe dans le monde, je me suis étonnée d'avoir eu un soin extrême de mes dents, de mes cheveux, et d'avoir négligé mon esprit et mon entendement. J'ai senti que l'esprit se rouille plus aisément que le fer […]. J'ai cherché quel genre d'occupation put en fixant mon esprit, lui donner cette consistance qu'on acquiert jamais, en ne se proposant pas un but dans ses études. » Lucide sur ses talents, elle sait qu'elle ne peut prétendre ni au génie de Voltaire ni à celui de Newton. Elle s'assigne donc plus modestement le rôle de traducteur. Son but : « Transmettre d'un pays à un autre les découvertes et les pensées des grands hommes. » Elle ajoutera, comme pour se consoler de la modestie de cette ambition : « Je scais que c'est rendre un plus grand service à son pays de luy procurer des richesses, tirées de son propre fonds, que de luy faire part des découvertes étrangères […]. Mais il faut tacher de faire valoir le peu qu'on a recu en partage[1]. »

Son objectif fut glorieusement atteint. Après s'être fait la main sur la *Fable des abeilles* de Mandeville, elle s'attaqua aux deux grands génies que furent Leibniz et Newton. Moins pour traduire leurs mots que pour expliquer leur pensée au public éclairé de son pays. Ce faisant, elle s'appropria la physique et la métaphysique la plus sophistiquée de son temps et entra dans le club très fermé des savants jusque-là réservé aux hommes. Rares furent ceux qui surent mesurer les talents exceptionnels de cette femme. Mais parmi eux figurent Voltaire, Maupertuis, Clairaut, d'Alembert et Diderot. Autrement dit, l'élite de ses contemporains. Il faudra attendre plus de deux siècles pour admettre qu'ils avaient raison.

---

[1] Préface de M^me Du Châtelet à la traduction de la *Fable des abeilles* (1735), dans I. O. Wade, *Studies on Voltaire with some Unpublished Papers of M^me Du Châtelet*, Princeton University Press, 1947, p. 132.

# Chronologie

Elisabeth Badinter

**17 décembre 1706**

Naissance à Paris de Gabrielle-Émilie Le Tonnelier de Breteuil, fille de Louis Nicolas de Breteuil et de sa seconde épouse Gabrielle Anne de Froulay.

**20 juin 1725**

Émilie épouse Florent Claude, marquis Du Châtelet, issu d'une famille lorraine de grande noblesse mais sans fortune. Gouverneur de Semur, capitale de l'Auxois, il fait une carrière militaire.

**1726**

Naissance de sa fille, Gabrielle Pauline, suivie en 1727 de celle de son fils Florent Louis.

**1733**

Elle accouche d'un garçon, Victor Esprit, qui mourra l'année suivante.

**Printemps 1733**

Rencontre de Voltaire dont elle devient rapidement la maîtresse. Il lui dédie une épître sur la calomnie.

**Hiver 1733-1734**

Leçons de mathématiques avec Maupertuis dont elle est également la maîtresse.

**Été 1735**

Elle choisit définitivement Voltaire et va le rejoindre à Cirey, en Haute-Marne, dans le château de son mari. Voltaire le rénova entièrement et y installa un laboratoire de physique. Ils y resteront près de quatre ans en tête à tête comme « des philosophes voluptueux. »

**Juillet-août 1737**

M^me Du Châtelet rédige secrètement un mémoire sur la nature du feu, sujet du prix mis au concours par l'Académie royale des sciences pour l'année 1738. À défaut de l'emporter, elle obtient que l'Académie publie son texte. Privilège sans précédent pour une femme.

**Mai 1739**

Elle part avec Voltaire s'installer à Bruxelles pour régler un procès en héritage.

Décembre 1740

Parution des *Institutions de physique* adressées à son fils.

Mars 1741

Dortous de Mairan, secrétaire de l'Académie des sciences, publie sa *Lettre à Mme\*\*\* sur la question des forces vives*. Elle y réplique aussitôt par une *Réponse de Mme\*\*\* à la lettre de M. de Mairan sur la question des forces vives*, Bruxelles, avril 1741.

1743

Traduction italienne des *Institutions de physique*.

Printemps 1744

Début d'une grave crise sentimentale qui secoue le couple Voltaire-Émilie. Elle découvre qu'il la trompe avec M^lle Gaussin. Un an plus tard, il tombe amoureux de sa nièce, M^me Denis, joyeuse veuve de trente-trois ans.

1745

M^me Du Châtelet commence la traduction française des *Principia* de Newton. Aux dires de Voltaire et de Clairaut, elle y travaille «comme un forçat».

Mai 1746

Elle est associée à l'Académie de Bologne.

Année probable de la rédaction du *Discours sur le bonheur*, publié discrètement en 1779 et réédité en 1796, 1806, 1961 et en 1993.

1748

Elle rencontre Saint-Lambert dont elle tombe follement amoureuse à la cour de Stanislas à Lunéville.

1749

Dès janvier, elle s'aperçoit qu'elle est enceinte de Saint-Lambert. Elle regagne Paris pour terminer le commentaire des *Principia* avec les conseils de Clairaut. En juillet, accompagnée de Voltaire, elle s'installe à Lunéville pour y faire ses couches.

Septembre 1749

Le 4, M^me Du Châtelet accouche d'une petite fille, immédiatement mise en nourrice. Le 9, elle envoie le manuscrit de son commentaire sur Newton à la Bibliothèque du roi et meurt subitement quelques heures plus tard.

1759

Publication posthume de l'édition définitive de sa traduction et de son commentaire des *Principia* de Newton. Elle fut rééditée en fac-similé à Paris en 1966 par A. Blanchard.

Une aristocrate

# Le cercle de famille d'Émilie de Breteuil

Henri-François de Breteuil

### De la robe à la cour : Louis, le grand-père d'Émilie

Originaire de Beauvaisis et connue par une filiation certaine depuis la seconde moitié du XIV$^e$ siècle, la famille Le Tonnelier de Breteuil a acquis une légitime réputation au service de l'État. C'est Charles IX qui remet en 1579 ses lettres de noblesse à Claude Le Tonnelier de Breteuil en le faisant secrétaire de la Chambre et du Cabinet du roi. Sa famille s'illustrera ensuite dans les plus hautes charges de justice à l'exemple de Louis Le Tonnelier de Breteuil (1609-1685), le grand-père d'Émilie. La carrière exemplaire de Louis témoigne d'une belle réussite : conseiller au parlement de Bretagne à partir de 1632, puis de Paris en 1637, maître des Requêtes au Conseil du roi en 1644, intendant du Languedoc en 1646, puis de Paris en 1653. En 1657, Louis XIV, sur la proposition du cardinal Mazarin, le nomme contrôleur général des Finances en récompense de ses services. Il est le premier des trois ministres Breteuil appelés au gouvernement sous les Bourbons. En 1665, Colbert assume seul cette fonction après la chute du surintendant Fouquet survenue en 1661 et la réorganisation du département ministériel. Mais Louis n'en demeure pas moins conseiller d'État jusqu'à sa mort. Il avait épousé Chrétienne Le Court (1616-1707), veuve de Nicolas de Bragelongne, conseiller et maître d'hôtel du roi. Louis et Chrétienne, grands-parents d'Émilie, eurent dix enfants, dont sept survécurent. Louis Nicolas, leur septième enfant, né en 1648, sera un des proches du roi Louis XIV et le père d'Émilie.

### Un homme des Lumières : Louis Nicolas, le père d'Émilie

Dans sa jeunesse, Louis Nicolas (1648-1728) semble plus préoccupé par les plaisirs de la vie mondaine que par la stratégie des places à conquérir dans les finances ou la magistrature. D'un tempérament ardent, il bouleverse bien des cœurs. Les portraits exposés au château de Breteuil nous montrent un bel homme, d'une stature imposante, le regard altier avec toutefois un éclair de malice. «Don Juan» ne tarde pas à succomber à l'amour, il s'éprend de sa cousine Marie-Anne Le Fèvre de Caumartin de Mormans, qui répond à sa

* Je tiens à rendre hommage à Elisabeth Badinter, la biographe d'Émilie qui a su magnifiquement mettre en valeur la vie et l'œuvre de notre arrière-grand-tante préférée. Je souhaite aussi dire ma reconnaissance à Évelyne Lever qui m'a autorisé à utiliser ses remarquables recherches sur la vie de Louis Nicolas, le père d'Émilie, dont elle a présenté et annoté les *Mémoires*.

C. N. Cochin,
*Bal masqué donné
par le roy à Versailles,
dit le bal des Ifs* (détail),
voir notice n° 31.

flamme. Or, pour des raisons obscures, les Breteuil s'opposent au mariage. Louis Nicolas passe outre et épouse secrètement sa cousine en 1674. Mais cette romance connaîtra un triste dénouement avec la mort de Marie-Anne en 1679. Les élans de son cœur n'avaient pas empêché Louis Nicolas de songer à son établissement : le 21 janvier 1677, Louis XIV lui confie la charge de lecteur ordinaire du roi, ce qui lui donne l'accès au «petit lever» de Sa Majesté. Notre don Juan va inspirer à partir de 1680 une nouvelle grande passion, celle de la présidente Ferrand, née Anne Bellinzani. Leur amour sera immortalisé par un roman, *Histoire des amours de Cléante et de Bélise*, qui de son temps connaît un vif succès. Mais cette liaison est interrompue par une ambassade : en 1682, Louis XIV nomme Louis Nicolas «envoyé extraordinaire» auprès du duc de Mantoue. La réussite de cette mission diplomatique lui vaut l'estime du roi. Son mariage en 1697 avec Gabrielle Anne de Froulay, fille du maréchal de Froullay et descendante d'une ancienne famille de la noblesse d'épée, augure d'une vie privée assagie. Avec cette mère qu'elle juge beaucoup trop conventionnelle, Émilie aura des relations conflictuelles. À partir de 1699, Louis Nicolas joue un rôle considérable à Versailles. Introducteur des ambassadeurs, il fait, en quelque sorte, office de chef du protocole. Une charge aussi prestigieuse ne pouvait échoir qu'à un gentilhomme distingué par son rang et parfaitement rompu aux subtilités du cérémonial. Elle conférait à son titulaire l'honneur de travailler directement avec le monarque, lequel lui permettait de s'adresser à lui s'il ne pouvait résoudre seul une affaire trop complexe. Mais, «comme il ne fallait pas abuser de sa patience jusqu'à l'importunité et qu'il y avait même une infinité de détails trop au-dessous de lui pour qu'il les connût, il fallait, en bien des rencontres, me décider par moi-même», écrit Louis Nicolas de Breteuil dans ses *Mémoires* qui constituent un précis fort complet de l'étiquette du Grand Siècle. «Le roi appréciait beaucoup le nouvel introducteur des ambassadeurs», écrit Saint-Simon qui n'épargne jamais ses sarcasmes à l'égard de Louis Nicolas. Quant à La Bruyère, il distingue Louis Nicolas sous les traits de Celse ou l'Important : «Celse n'est pas savant, mais il a des relations avec des savants ; il n'a pas de mérite mais il connaît des gens qui en ont beaucoup… Il entre dans les plus hauts mystères du Royaume.»

Parallèlement à son activité diplomatique, Louis Nicolas étend ses domaines en achetant en 1700 la seigneurie de Preuilly et par voie de conséquence le château d'Azay-le-Ferron et le titre de premier baron de Touraine. Enfin, le 25 octobre 1706, il fait l'acquisition de l'hôtel Dangeau, place Royale à Paris, où il s'installe avec sa femme, ses deux fils et sa fille Émilie née la même année. Esprit libre, sceptique, homme des Lumières, il aime la compagnie des gens de lettres et protège, entre autres, un jeune poète nommé François Marie Arouet, connu plus tard sous le nom de Voltaire et que sa fille Émilie fréquenta dès son enfance. Dépourvu des habituels préjugés concernant l'éducation des femmes, Louis Nicolas avait refusé de la mettre au couvent et il lui fit donner les mêmes maîtres qu'à ses frères. Cette enfant prodige se révèle bientôt être la première grande femme de sciences de notre histoire. Elle gardera toujours un profond attachement à ce père qu'elle admirait tant. Son frère Élisabeth Théodose, abbé de Breteuil, né en 1710, sera toujours très proche d'Émilie. Plus tard, il deviendra maître de chapelle de Louis XV puis garde des Sceaux et chancelier du duc d'Orléans qui lui donnera l'usage du Trianon de Saint-Cloud, appelé plus tard Pavillon de Breteuil.

### Quelques membres de la parentèle Breteuil dans l'entourage d'Émilie

Le propriétaire du château de Breteuil, lors de la jeunesse d'Émilie, est son cousin Claude Charles de Breteuil (1697-1735). Officier de cavalerie, il épouse en 1720 la belle Laura, fille du maréchal O'Brien de Clare. Si Émilie fut toujours l'amie de Laura, elle ne fut jamais proche de son cousin germain François Victor de Breteuil, marquis de Breteuil (1686-1743). Chef de la branche aînée de la maison, François Victor, qui brille à la cour, devient secrétaire d'État à la Guerre en 1723 et exerce aussi les fonctions de chancelier de la reine à partir de 1725. François Victor compte parmi les familiers de Louis XV et occupe la place en vis-à-vis du souverain au Conseil. En 1735, Émilie et François Victor s'opposent violemment lors du procès en reconnaissance de paternité intenté par Michelle, la fille supposée de la présidente Ferrand, et Louis Nicolas, le père d'Émilie. Émilie prend généreusement le parti de sa demi-sœur contre François Victor qui redoute qu'un scandale puisse porter atteinte à sa carrière. «Je suis brouillée ouvertement, écrit-elle à d'Argental, c'est pour avoir tiré d'oppression une fille de feu mon père.» En 1742, Michelle fut réintégrée dans ses droits et François Victor mourut quelques mois plus tard.

Émilie suit aussi les premiers pas dans la carrière diplomatique de son neveu Louis-Auguste, baron de Breteuil (1730-1807). Ambassadeur sous Louis XV à Saint-Pétersbourg, à Stockholm et à Naples, Louis XVI le nommera à Vienne et il sauvera la paix européenne à Teschen en 1779, poursuivant ensuite une carrière ministérielle sous Louis XVI en qualité de ministre de la Maison du roi et de Paris, puis de principal ministre. En digne neveu d'Émilie, il fut d'après plusieurs témoignages «l'homme d'État qui depuis Colbert a fait le plus pour les sciences et les arts».

Les Breteuil sont ainsi l'une des rares maisons à avoir donné trois ministres aux Bourbons, mais la personnalité la plus marquante de la famille est sans aucun doute «la divine Émilie». Aujourd'hui, nous avons la chance, les visiteurs et nous-même, de retrouver à Breteuil les souvenirs et les portraits de ces ancêtres qui évoquent la rencontre entre l'histoire de la famille et l'histoire de France.

## Les Breteuil

1

2

### 1
École française du XVIIᵉ siècle
**Louis Nicolas de Breteuil**
Huile sur toile, 82 × 64 cm
Choisel, château de Breteuil

Né en 1648, le baron de Breteuil
fut pour Gabrielle Émilie un père
attentif. En 1706, il acheta un hôtel
place Royale où il s'installa avec
sa famille jusqu'à sa mort, en 1728.
Voltaire fut en relation avec lui
dès 1714 par les d'Argenson et les
Caumartin et connut donc la jeune
Émilie enfant.

### 2
École française du XVIIᵉ siècle
**Madame de Breteuil**
Huile sur toile, 82 × 64 cm
Choisel, château de Breteuil

Veuf, le baron de Breteuil s'était
remarié en 1697 avec Gabrielle
Anne de Froulay. Après la mort du
baron, elle se retira au château du
Buisson à Créteil où sa fille continua
de lui rendre visite régulièrement.
Elle y mourut en 1740.

### 3
Marianne Loir
(vers 1715 – après 1779)
**La marquise Du Châtelet**
Vers 1745
Huile sur toile, 118 × 96 cm
Bordeaux, musée des Beaux-Arts,
M. 5848

Portrait le plus connu de
Mᵐᵉ Du Châtelet, dont il existe
plusieurs copies d'après l'original
conservé au musée des Beaux-Arts
de Bordeaux. On pense qu'il aurait
été peint à Paris vers 1745 par
Marianne Loir, émule de Nattier,
lui-même auteur d'un portrait
de Mᵐᵉ Du Châtelet en 1743.
Un portrait conservé au château
familial d'Azay-le-Ferron semble
bien aussi être le sien. En revanche
le tableau de Largillière figurant
une « docte Uranie », où on a voulu
la reconnaître, peint au plus tard
vers 1725, ne peut donc, d'après
Dominique Brême, la représenter.

### 4
**Mémoires du baron de Breteuil**
Copie manuscrite du XVIIIᵉ siècle
Reliure de veau marbré aux armes
d'Argenson
Tome VII, 35 × 24 cm
BNF, Arsenal, Ms 3865

Introducteur des ambassadeurs
à la cour depuis 1699, le baron
de Breteuil a laissé d'intéressants
Mémoires, véritable manuel des
règles du protocole en usage
à la cour. Il renonça à ses
fonctions à la mort de Louis XIV,
en 1715. Il existe un exemplaire
de ces Mémoires conservé
dans les archives du château
de Breteuil et un autre, relié
à ses armes, à la bibliothèque
municipale de Rouen.

5
*Négociations de Mantoue*
Manuscrit du XVIIIᵉ siècle
Reliure de maroquin rouge aux armes
de Breteuil, 36 × 27 cm
BNF, Arsenal, Ms 4723

Le baron de Breteuil fut nommé
envoyé extraordinaire à la cour
de Mantoue en février 1682,
à un moment de grandes luttes
d'influence entre la France et
l'Autriche. Il fit preuve de fins
talents diplomatiques en
conservant l'alliance du duc,
ce dont témoigne ce recueil
des *Négociations de Mantoue*.

6
Entrée de l'ambassadeur
de Perse le 7 février 1715
et audience donnée
par le roi à Versailles
le 19 février 1715
Gravures coloriées, 97 × 69 cm
BNF, Estampes et Photographie,
Hennin nᵒˢ 7503-7504, format 5

L'entrée mouvementée et pleine
d'exotisme de l'ambassadeur de
Perse en février 1715, sur laquelle
s'achèvent ses mémoires, fut la
dernière cérémonie dont le baron
de Breteuil se chargea.

7
François Joullain (1697-1778)
François Victor de Breteuil
Gravure d'après Van Loo, 21,2 × 15,2 cm
BNF, Estampes et Photographie, N2

Le marquis de Breteuil (1686-1743)
était le cousin germain d'Émilie
de Breteuil, secrétaire d'État à la
Guerre en 1723 et chancelier de la
reine à partir de 1725. « Cet homme
me hait depuis longtemps dans son
cœur », écrit Mᵐᵉ Du Châtelet dans
une lettre du 29 décembre 1736
à d'Argental : elle s'était opposée
à lui en soutenant la cause de la
fille bâtarde de son père.

8
Louis Michel Van Loo (1707-1771)
L'abbé de Breteuil
1766
Huile sur toile ovale, réduction
autographe du grand portrait signé et
daté 1766 exposé au Salon de 1767,
43 × 36 cm
Collection particulière

Élisabeth-Théodose, abbé
de Breteuil (1710-1781), frère de
Mᵐᵉ Du Châtelet, « un frère qui est
mon ami intime », souligne-t-elle
dans une lettre du 29 décembre
1736 à d'Argental. Il séjourna
à Cirey en 1737 et 1738.

9
Renée-Caroline Victoire
de Froulay, marquise de Créquy
(1714-1813)
Huile sur cuivre, 10 × 8,2 cm
Paris, musée Carnavalet, P 1953

Les souvenirs attribués à la marquise
de Créquy, sa cousine, publiés
en 1834-1835 ont été souvent
considérés comme une source
sur la jeunesse d'Émilie de Breteuil.
Très largement apocryphes,
mais agréablement écrits par
Courchamps à partir de prétendus
souvenirs recueillis auprès de la
vieille dame, ils sont peu fiables.
Néanmoins les lettres
de la marquise de Créquy
à Cideville confirment l'inimitié
des deux cousines.

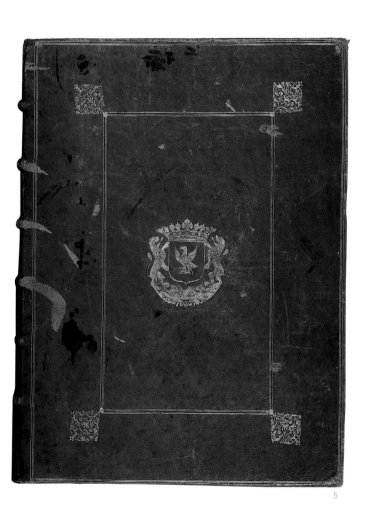

5

**10**
*La Place royale à Paris*
Gravure anonyme coloriée du XVIIIᵉ siècle
À Paris chez Daumont rue Saint-Martin,
33 × 49 cm
BNF, Estampes et Photographie,
Va 251b, folio

Après avoir quitté ses fonctions
à la cour, le baron de Breteuil
passa beaucoup de temps dans
son château de Preuilly,
en Touraine. Mais il constitua
aussi un petit cercle littéraire
dans son bel hôtel de la place
Royale ; il y reçut Fontenelle,
le poète Jean-Baptiste Rousseau,
et s'occupa de l'éducation
de sa brillante fille.

**11**
Jean Daullé (1703-1763)
Jean-Baptiste Rousseau
1740
Gravure d'après Aved, 54,5 × 31 cm
BNF, Estampes et Photographie,
Rés Ee 10 folio, t. 2, p. 13

Les relations d'Émilie de Breteuil
avec Jean-Baptiste Rousseau
commencèrent chez son père.
En 1711, le scandale s'abattit
sur Rousseau. On l'accusa d'avoir
composé des vers injurieux, et
même infamants, sur son rival
triomphant à l'Académie française
Houdar de La Motte et sur
d'autres membres de l'Académie.
Le baron de Breteuil se dépensa
pour défendre un homme qu'il
croyait innocent et l'aida à s'enfuir
en Suisse. En 1716 il obtint même
le rappel de bannissement de
Rousseau, qui se montra fort ingrat,
exigeant une réparation plus
complète. En 1733, Voltaire,
dans l'*Épître sur la calomnie*
à Mᵐᵉ Du Châtelet, évoque :

*Ce vil Rufus que jadis votre père*
*A, par pitié, tiré de la misère,*
*Et qui bientôt, serpent envenimé,*
*Piqua le sein qui l'avait ranimé.*

Ioannes Baptista Rousseau
*Natus Anno 1670.*

Certior in nostro carmine vultus erit.
*Mart. L.7 Ep.24*

J. Aved Pinxit    J. Daullé Sculp.

11

**12**
Louis Crépy (vers 1680 – ?)
*Bernard de Fontenelle,*
*de l'Académie françoise*
Gravure, 13,2 × 10 cm
À Paris, chez Crépy
BNF, Estampes et Photographie, N2

Incarnation du « bel esprit » à la mode
du XVIIᵉ siècle, Fontenelle fit partie
du cercle du baron de Breteuil où
il rencontra la jeune Émilie, avide
de science. Le premier il initia les
dames à une science aimable, en
publiant en 1686 ses *Entretiens*
*sur la pluralité des mondes*. Il donna
pendant cinquante ans le ton
dans les salons, lança la mode
de la science et régna sur
l'Académie des sciences jusqu'à
sa démission en 1740.

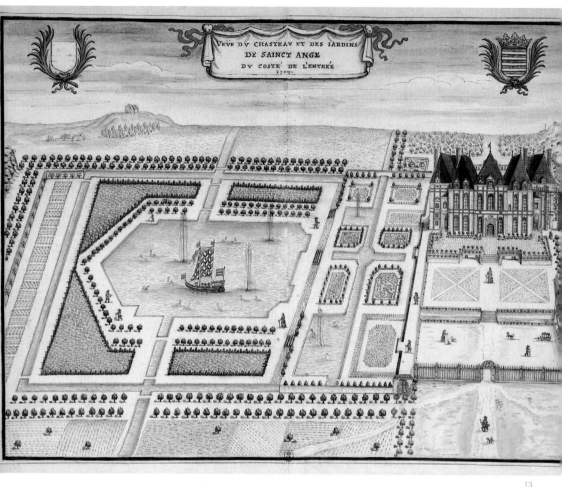

VEVE DV CHASTEAV ET DES IARDINS
DE SAINCT ANGE
DV COSTÉ DE L'ENTRÉE
1703.

13

13
*Veüe du chasteau et des jardins*
*de Saint-Ange du costé de l'entrée*
1703
Dessin aquarellé, 46 × 61 cm
BNF, Estampes et Photographie, Va 420,
format 4 (Seine-et-Marne)

C'est au château de Saint-Ange,
chez son cousin Louis Urbain
de Caumartin, que le baron
de Breteuil rencontra Voltaire
en 1714 et se lia avec lui. Le baron
et Voltaire se retrouveront en 1723

au château de Maisons avec
le président Hénault. Leur amitié
est alors au zénith, tant le baron
admire le jeune poète.

## Les Du Châtelet

14

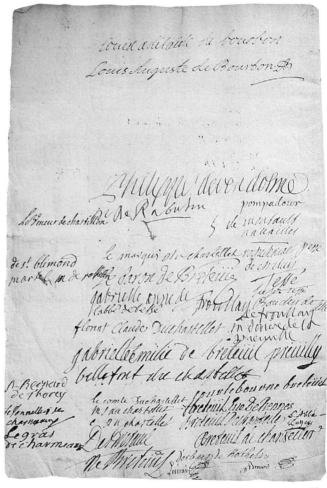

15

**14**
Augustin Calmet
*Histoire généalogique de la
maison Du Châtelet, branche
puînée de la maison de Lorraine,
justifiée par les titres…*
Nancy, V^ve J.-B. Cusson, 1741
BNF, Arsenal, Fol-H-4033

Le marquis Du Châtelet apporta
à sa femme un titre de marquise
et un rang élevé à la cour. Fière
de son alliance, les Du Châtelet
prétendaient descendre de
Charlemagne et des premiers
ducs de Lorraine. M^me Du Châtelet
distribua autour d'elle l'ouvrage
que dom Calmet, le grand historien
de la Lorraine, consacra à leur
prestigieuse généalogie. Ces
exemplaires de présent étaient
reliés aux armes de la famille, tel
celui-ci, qui porte aussi l'ex-libris
du comte de Lauraguais, un des
proches amis du couple.

**15**
Contrat de mariage entre
Gabrielle Émilie Le Tonnelier
de Breteuil et Florent Claude
Du Châtelet
Paris, Archives nationales, Minutier
central, Rés. 510

Sur le contrat de mariage, signé
devant les notaires à Paris en l'hôtel
de la place Royale paroisse

Saint-Paul le 4 juin 1725 entre
Gabrielle Émilie Le Tonnelier
de Breteuil et Florent Claude
Du Chastellet, on relève de
nombreuses signatures
prestigieuses. Comme il était
d'usage pour les personnages
importants de la cour à qui
il voulait faire honneur, le roi
lui-même a signé le contrat.

16
*Mousquetaire de la première compagnie*
Planche XIV de l'ouvrage *Nouveau recueil des troupes qui forment la garde et maison du roy*
Paris, Veuve de F. Chéreau, 1756
Exemplaire gravé avec une double suite des gravures, dont une coloriée
Reliure de maroquin rouge aux armes du comte d'Argenson, 41 × 28 cm
BNF, Arsenal, Est 392

Florent Claude Du Châtelet (1695-1765) est avant tout un militaire. Mousquetaire en 1712, il fait sa première campagne sur le Rhin, puis il est colonel du régiment d'infanterie de Hainaut en 1718, devient gouverneur de Semur et grand bailli d'Auxois à la démission de son père, en 1725. Après son mariage, il sert à nouveau sur le Rhin et participe au siège de Philippsbourg en 1734. Maréchal de camp en 1738, il se démet de son régiment et participe aux campagnes de 1741, puis à la guerre de Succession d'Autriche. Lieutenant général des armées du roi en 1744, il est en Flandre en 1746 avec le maréchal de Saxe.

M^me Du Châtelet est pleine d'égards pour cet époux paisible et peu encombrant qui tient dignement le rôle de mari d'une femme remarquable. Elle ménagera toujours très soigneusement ses susceptibilités et respectera les bienséances. Elle s'entremet pour sa carrière, en particulier auprès du comte d'Argenson. En 1748, il obtient un commandement en Lorraine. L'année suivante Émilie parvient à la faire nommer grand maréchal des logis par Stanislas, qui pourtant ne l'appréciait guère. Ses relations avec Voltaire furent toujours parfaitement courtoises et les services rendus mutuels. La succession de M^me Du Châtelet se passa avec une grande élégance des deux côtés. Voltaire ne réclama que ses livres et son cabinet de physique.

17
*Semur-en-Auxois*
Dessin à la sépia, 1709
Recueil du marquis d'Argenson
12,5 × 18,5 cm
BNF, Arsenal, Est 952 (123)

Émilie de Breteuil se marie le 20 juin 1725 et fait son entrée le 29 septembre à Semur-en-Auxois, dont son mari vient d'être nommé gouverneur. Elle va résider au château de la ville, qu'elle quitte en 1726 pour venir mettre au monde une fille à Paris chez une parente, la marquise Du Châtelet-Clémont, femme du gouverneur de Vincennes et sœur aînée du duc de Richelieu. Elle regagne Semur où elle aura un fils en 1727. Elle ne fera plus désormais que quelques épisodiques séjours à Semur, pour des obligations familiales notamment pour les obsèques de son beau-père, en 1732. Pendant ces longues périodes à Semur, loin du monde, elle s'entoure d'un petit cercle où l'on remarque le père de Buffon et un certain M. de Mézières, mathématicien et aïeul de M^me de Genlis, ce qui permettra plus tard à celle-ci de prétendre qu'« il lui donna tous les matériaux des ouvrages qu'Émilie a publiés depuis ». En 1734, le marquis Du Châtelet vendit le château de Semur qui fut plus tard transformé en hôpital.

**18**
Jean-Baptiste Raguenet (1715-1793)
*Le Louvre, le Pont-Neuf et le quai
des Orfèvres, vus du quai des
Grands-Augustins*
1751
Huile sur toile, 47 × 84 cm
Paris, musée Carnavalet, P. 275

M^me Du Châtelet a eu plusieurs
résidences à Paris, toujours sur
la rive droite. Elle habite d'abord,
quand elle n'est pas à Semur
et comme le stipule son contrat
de mariage, chez son père, place
Royale, jusqu'à la mort de celui-ci
en 1728. Ensuite, entre ses séjours
à Cirey, à Bruxelles ou à la cour,
elle descend chez ses amis le duc
et la duchesse de Richelieu ; elle
emprunte la maison d'une amie,
M^me d'Autrey, rue des Bons-Enfants,
puis, après l'épisode peu clair
de l'hôtel Lambert, elle loge au
n° 13 de la rue du Faubourg-Saint-
Honoré, près de l'hôtel Charost.
Enfin, en 1745, les Du Châtelet
louent une demeure rue
Traversière, ou Traversine-Saint-
Honoré, dont Voltaire occupe une
partie et dont il reprendra le bail
après la mort de la marquise,
y résidant alors avec M^me Denis.

**19**
*L'hôtel Lambert*

a. *La Pointe orientale de l'île Saint-
Louis, avec l'hôtel de Bretonvilliers
et l'hôtel Lambert* par Jean-Baptiste
Raguenet (1715-1793)
1757
Huile sur toile, 46,5 × 85 cm
Paris, musée Carnavalet, P. 277

Le très bel hôtel Lambert, décoré
par Le Brun et Le Sueur, passa de
Lambert de Thorigny au fermier
général Dupin. M^me Du Châtelet
souhaita l'acquérir et mit dans ce
projet toute son ardeur. En 1738,
elle parle pour la première fois
à d'Argental de ses projets d'achat.
Elle craint la concurrence et veut le
secret. Elle parvient à ses fins, pour
200 000 francs, en mars 1739.
Voltaire s'en réjouit et cherche
« à acheter des meubles pour le
palais Lambert. Je vous donne, mon
cher abbé [Moussinot], rendez-vous
à ce palais. Ah ! que de tableaux et
de curiosités, si j'ai de l'argent ! Allez
donc voir mon appartement, c'est
celui où est la galerie destinée à la
bibliothèque ». Il invite ses amis dans
« l'hôtel de madame la marquise, qui
est sans contredit un des plus beaux
de Paris, et situé dans une position
digne de Constantinople car il a vue

sur la rivière, et de toutes les
fenêtres, on découvre une vaste
étendue de jolies maisons ».
L'installation sera repoussée
jusqu'en mai 1742. « Madame
Du Châtelet, écrit alors madame
Du Deffand au président Hénault,
est dans sa nouvelle maison. »
Ce séjour de cinq semaines fut
le seul et l'hôtel redevint la propriété
de ses premiers possesseurs.

b. *Veüe et perspective intérieure
de la Gallerie*
Planche XXV de l'ouvrage
*Les peintures de Charles Le Brun
et d'Eustache Le Sueur qui sont
dans l'hôtel du Chastelet cy devant
la maison du président Lambert*,
dessinées par Bernard Picard…
À Paris, chez Duchange, 1740
BNF, Arsenal, Est 52

La dédicace au marquis Du Chastelet
par G. Duchange assure que : « Cette
maison célèbre […] acquerera un
nouveau prix quand vous l'habiterez
avec Madame la Marquise
Du Chastelet qui fait autant d'honneur
à son sexe que vous en faites vous-
même par vos talens pour la guerre
et par vos vertus. » Il est tentant
de voir dans les trois personnages
représentés dans la galerie
M. et M^me Du Châtelet et Voltaire.

20
Antoine François Callet (1741-1823)
Le duc Du Châtelet en tenue
de colonel des Gardes françaises
1788-1789
Huile sur toile, 36,5 × 30 cm
Collection particulière

Cette étude en pied pour un grand
portrait probablement jamais réalisé
attribuée à Antoine Callet a été
identifiée par Laurent Hugues
comme représentant le duc
Du Châtelet, qui venait de succéder
au maréchal de Biron en 1788
comme colonel des Gardes
françaises. Très impopulaire,
il démissionna dès le 16 juillet 1789.
Né à Semur en 1727, Louis Marie
Florent Du Châtelet entra au service
à dix-huit ans comme aide de camp
de son père. Après avoit servi
pendant la guerre de Sept Ans,
il entama en 1761 une carrière
d'ambassadeur. Il eut une
ambassade assez mouvementée
en Angleterre de 1768 à 1770.
Il fut créé duc en 1777 et reprit du
service aux armées. Il siégea aux
états généraux comme envoyé
du bailliage de Bar-le-Duc. En 1793,
traduit devant le tribunal
révolutionnaire, il fut condamné
et guillotiné le 13 décembre 1793.
Comme elle l'avait fait pour son mari,
Émilie s'agita beaucoup pour la
carrière de son fils : « Je passe ma vie
dans l'antichambre du ministre de la
guerre pour obtenir un régiment pour
mon fils », écrit-elle au père Jacquier
en 1745. Ses relations avec son fils
se dégradèrent fortement la dernière
année de sa vie. Il semble qu'il ait
beaucoup moins bien accepté que
son père la dernière aventure de
sa mère. Voltaire, qui l'avait côtoyé
enfant à Cirey, n'oublie pas de le
mentionner dans le *Précis du règne
de Louis XV* : « Un coup de fusil,
qu'on crut longtemps mortel, perça
le comte Du Châtelet, de la maison
de Lorraine, fils de cette célèbre
marquise Du Châtelet, dont le nom
ne périra jamais parmi ceux qui
savent qu'une dame française
a commenté le grand Newton. »

22

21
Lettre de Voltaire à Dumas
d'Aigueberre
Paris, 4 avril 1743
BNF, Arsenal, Ms 7567 (63)

« Elle marie sa fille […] à M. le duc
de Montenero, Napolitain
au grand nez, à la taille courte,
à la face maigre et noire, à la
poitrine enfoncée. Il est ici et
va vous enlever une Française
aux joues rebondies. »
Françoise Gabrielle Pauline
Du Châtelet, née en 1726,
épousa en 1743 Don Alfonso
Carafa, duc de Montenero.
Elle mourut en 1754, après avoir
mis au monde six enfants dont
aucun ne lui survécut.
La fille de Mme Du Châtelet apparaît
peu dans la vie, la correspondance
et les préoccupations de sa mère.
Tout au plus saura-t-on par
Mme de Graffigny qu'on la tire
quelques jours du couvent pour
participer aux représentations
théâtrales à Cirey. La grande
affaire de Mme Du Châtelet sera
son mariage et ensuite sa position
à la cour de Naples.

22
Lettre de Mme Du Châtelet
à Maupertuis
1734
BNF, Manuscrits, Fr 12269, f. 15

« Mon fils est mort cette nuit,
Monsieur ; j'en suis, je vous l'avoue,
extrêmement affligée. » Le dernier
fils de la marquise Du Châtelet,
Victor-Esprit, né le 11 avril 1733,
mourut au début de 1734, sans
qu'on puisse préciser la date. Par
les mentions qu'elle en fait dans sa
correspondance, en particulier dans
cette lettre à Maupertuis, la mère
ne semble pas particulièrement
affectée, quoiqu'elle dise s'étonner
de l'être quelque peu. Elle reprend
les mêmes termes dans une lettre
du 6 septembre 1734, adressée
à son ami l'abbé de Sade : « Depuis
que j'ai reçu votre lettre, Monsieur,
j'ai éprouvé un des malheurs
attachés à l'état de mère. J'ai perdu
le plus jeune de mes fils. J'en ai été
plus fâchée que je ne l'aurais cru,
et j'ai senti que les sentiments de
la nature existaient en nous, sans
que nous nous en doutassions.
Sa maladie m'a fort occupée. »

M^me Du Châtelet n'est pas une vraie mondaine. Elle aime trop s'amuser et est trop attachée à sa liberté de parole pour goûter les règles qui régissent le grand monde. Consciente de son rang et des devoirs qui lui incombent, elle fréquente la cour moins par plaisir que par obligation. Même si elle peut y assouvir sa passion du jeu – elle a ses entrées au jeu de la reine –, l'atmosphère y est trop guindée pour qu'elle s'y sente à l'aise. Pour les mêmes raisons, Émilie n'a jamais tenu salon ni fréquenté régulièrement l'un d'entre eux. Recevoir l'ennuie et son autorité spontanée lui interdit de se plier à l'étiquette des salons littéraires d'une M^me Geoffrin (qui la déteste) ou d'une M^me de Tencin qui entend régner seule sur ses «ours». En revanche, elle n'aime rien tant que les petits groupes d'amis, de même rang qu'elle, gais, bons vivants, et partageant ses goûts pour les spectacles. Pour ce qui est de sa passion des sciences, elle ne l'assouvit qu'avec d'authentiques savants, dans le tête à tête de son bureau parisien, la solitude du Mont-Valérien où se sont réfugiés ses maîtres Maupertuis et Clairaut, et enfin à Cirey, sorte de couvent philosophique voluptueux et studieux.

Ses plus anciennes relations sont Louis de Brancas et sa femme. C'est chez eux qu'elle rencontre le jeune comte de Forcalquier et deux personnes qui deviendront des amis chers : Maupertuis et la duchesse de Saint-Pierre. Cette dernière, de vingt-quatre ans son aînée, veuve menant grand train, prend la jeune Émilie sous son aile. Elle la mène aux spectacles, l'introduit chez ses amis, lui donne le goût des petites auberges un peu canailles et la présente à Voltaire un jour d'avril 1733. Émilie est amusée et flattée mais ça n'est pas le coup de foudre. À l'heure qu'il est, elle a déjà eu des amants, en particulier le duc de Richelieu qu'elle n'a pas oublié et le savant Maupertuis qu'elle poursuit jusqu'au café Gradot. C'est l'époque, entre vingt et vingt-huit ans, où elle se partage entre les grossesses (elle fait trois enfants à son mari dont deux ont survécu), l'initiation aux mathématiques et les plaisirs de la société qui se terminent à trois heures du matin.

Cette période d'extrême dissipation prend fin brutalement lorsqu'elle choisit au printemps 1735 de rejoindre Voltaire à Cirey et de tourner le dos à l'inconstant Maupertuis et aux mirages parisiens. C'est dans cette campagne éloignée de tout (M^me Denis évoquera «une solitude effrayante»), qu'Émilie voit s'épanouir son grand amour pour Voltaire et qu'elle travaille jour et nuit pour maîtriser les deux disciplines majeures que sont la physique et la métaphysique. En dehors de son amant avec lequel elle ne s'ennuie jamais, son mari qui vient de temps en temps et deux châtelaines des environs qui meublent quelques soupers, les compagnons de M^me Du Châtelet sont les livres et les compas. Les rares visiteurs sont davantage des savants (Algarotti, Maupertuis, Bernoulli, l'abbé Du Resnel, le père Jacquier) que des mondains comme le président Hénault.

Tout change de nouveau dans la dernière période de sa vie qui va de 1739 à 1749. À cause d'un interminable procès en héritage à Bruxelles et du retour en grâce de Voltaire à la cour, le couple se partage entre Bruxelles, Paris, Versailles et Fontainebleau, la cour du roi Stanislas à Lunéville et à Commercy, sans parler des séjours plus ou moins prolongés chez la duchesse Du Maine ou la duchesse de La Vallière et les retours à Cirey où ils travaillent si bien. Nulle part où vraiment poser ses malles. M^me Du Châtelet a bien acheté en 1739 le superbe hôtel Lambert dans l'île Saint-Louis, décoré par Le Brun et Le Sueur, mais elle aura peu l'occasion de l'habiter et le revendra quelques années plus tard. À Bruxelles, Voltaire et elle louent une maison rue de la Grosse-Tour, donnent des fêtes et fréquentent la princesse de Chimay et le duc d'Arenberg. Mais l'ennui les gagne dans ce monde qui lit peu. Aussitôt qu'ils le peuvent ou le doivent, ils rentrent à Paris. Émilie y retrouve sa vie tourbillonnante et sa passion du jeu. Elle fréquente M^me de Tencin, les duchesses de Luxembourg, de Richelieu, d'Aiguillon, de Boufflers, les marquises de Mailly et Du Deffand, M^me de La Popelinière et quelques autres. Elle organise des soupers fins entre femmes dans un cabaret de Chaillot où l'on se met à l'aise, sans se gêner devant les laquais. Ce qui ne l'empêche pas de courir aux assemblées publiques de l'Académie des sciences pour y écouter Buffon lire son fameux mémoire sur les miroirs ardents ou de dîner avec Réaumur, Clairaut et Dortous de Mairan. L'été 1744 se passe au château de Champs-sur-Marne. Voltaire et elle ont accepté l'invitation du duc de La Vallière. Ce n'est pas seulement un homme de culture qui possède l'une des plus belles bibliothèques connues, c'est aussi un libertin fort gai, comme son épouse, qui reçoit à merveille une société de beaux esprits tels que M^me Du Deffand, Moncrif et l'abbé Voisenon. Celui-ci rivalise de drôlerie et de bons mots avec Voltaire tout en étant le confident attentif d'Émilie. L'été 1746 et 1747, ils sont les hôtes de la duchesse Du Maine au château d'Anet, puis à Sceaux. Ils y travaillent le jour et jouent la comédie le soir pour distraire la vieille dame. Après quoi ce sont les eaux de Passy avant de rejoindre la cour à Fontainebleau. Une fois encore, M^me Du Châtelet refait ses malles, suivie de Voltaire qui n'en peut mais, pour répondre à l'invitation du roi Stanislas qui veut distraire sa petite cour de Lunéville. La maîtresse officielle du roi est la marquise de Boufflers, une vieille connaissance du couple. Reçus à merveille, installés au centre du palais, les fêtes se succèdent et M^{me} Du Châtelet triomphe sur la scène du magnifique théâtre du roi. Ils y restent plusieurs mois avant de suivre Stanislas et sa cour à Commercy après un bref séjour à Cirey et à Paris. La raison de ce nouvel engouement pour la cour de Lorraine s'appelle Saint-Lambert. Il a dix ans de moins qu'elle et elle en est folle. Bientôt enceinte de lui, elle reviendra faire ses couches à Lunéville où elle mourra quelques jours après l'accouchement, le 10 septembre 1749.

## À Paris et à la cour

### 23
### Madame Du Deffand

a. *Lettres de la marquise du Deffand à Horace Walpole, [...] auxquelles sont jointes des lettres de Madame Du Deffand à Voltaire, écrites dans les années 1759 à 1775*
Paris, Treuttel et Würtz, 1812
Portrait en frontispice gravé par Forshel d'après Carmontelle
BNF, Arsenal, 8-BL-32118

b. *Portrait de Madame Du Châtelet par Madame Du Defan*
Copie manuscrite du XVIIIe siècle,
22 × 17 cm
BNF, Arsenal, Ms 4846, p. 259-261

Émilie fréquente M$^{me}$ Du Deffand, en particulier à Champs, mais elles ne sont pas amies. M$^{me}$ Du Châtelet, par son attitude si libre, suscite haines et médisances dans les salons. M$^{me}$ Geoffrin écrit à Montesquieu en 1748 : « Voltaire et la du Châtelet [...] sont l'un et l'autre plus ridicules qu'on ne peut dire, et sont haïs et méprisés autant qu'ils le méritent. Je prédis que dans dix ans ils n'auront pas un lieu où reposer leur tête. »

### 24
### Pougin de Saint-Aubin
### (? – 1783)
### Le président Hénault
Huile sur toile, 73,5 × 59 cm
Paris, musée Carnavalet, P 2063

Amant de M$^{me}$ Du Deffand, très lié aux d'Argenson, le président Hénault (1685-1770) est de tous les cercles mondains et brille à la cour auprès de la reine Marie Leczinska. Il passe en juillet 1744 par Cirey qu'il décrit comme « une retraite délicieuse, l'asile de la paix ».

### 25
### Madame de Tencin
Gravure anonyme, 18 × 13 cm
BNF, Estampes et Photographie, N2

Claudine Alexandrine Guérin, marquise de Tencin (1682-1749), tient salon rue Saint-Honoré. C'est par l'intermédiaire du duc de Richelieu, très proche des Tencin, que M$^{me}$ Du Châtelet se lie avec elle, qui est même sa confidente en 1743 quand, Voltaire parti en Prusse, Émilie se désespère.

### 26
### Invitation du Sr Ramponneau à la Courtille – Madame Ramponeau
[*sic*]
Gravure, 60 × 43 cm
BNF, Estampes, Hennin n° 8913, année 1758, t. CIII, p. 25

Le cabaret de Ramponneau, *Le Tambour Royal* à Belleville, est le plus célèbre de ces lieux où se mêlaient le petit peuple parisien et les membres de la meilleure société en quête de distractions. C'est dans le même genre d'auberge, à Charonne, que M$^{me}$ Du Châtelet entraîna Voltaire avec la joyeuse société qu'elle fréquentait, la fascinante duchesse de Saint-Pierre, largement son aînée, avec son jeune amant le comte de Forcalquier. Et Voltaire lui écrit :

*Vénus vint, sous vos traits, souper au cabaret.*

Longchamp relate un autre souper de ce genre entre dames : « Dans le temps que leurs maris étaient à l'armée, ou appelés ailleurs pour d'autres fonctions, ces dames, pour se divertir entre elles, arrangeaient quelquefois des parties de plaisir, telles que des petits voyages à la campagne ou dans les villes voisines, ou des dîners et des soupers dans quelque hôtellerie ou guinguette des environs de Paris. Pendant que

j'ai été au service de madame du Châtelet, je n'ai vu qu'une seule de ces parties joyeuses. Ce fut un soupé qui eut lieu à Chaillot, dans un cabaret nommé la Maison-Rouge. »

### 27
### René Louis de Voyer, marquis d'Argenson
1746
Gravure anonyme, 24,5 × 17 cm
BNF, Estampes et Photographie, N2

Les frères d'Argenson avaient été les camarades de collège de Voltaire et ils restèrent très liés. Le marquis d'Argenson (1694-1757) était du même âge que lui et l'estimait beaucoup. M$^{me}$ Du Châtelet, qui avait de lointains liens de famille avec les d'Argenson, entretint aussi ces relations fort utiles avec un ministre des Affaires étrangères et un ministre de la Guerre.

### 28
### Gilles Edme Petit (1694-1760)
### Marc Pierre de Voyer, comte d'Argenson
Gravure d'après Hyacinthe Rigaud,
26,5 × 18,5 cm
BNF, Estampes et Photographie, N2

À plusieurs reprises, M$^{me}$ Du Châtelet sollicita le comte d'Argenson (1696-1764), ministre de la Guerre (il y remplaça son cousin Breteuil), pour la carrière de son mari et de son fils, surtout quand elle voulut s'établir en Lorraine.

### 29
### Gilles Edme Petit
### Jean-Frédéric Phélypeaux, comte de Maurepas
1736
Gravure d'après Van Loo, 52 × 34 cm
BNF, Estampes et Photographie, N3

Ministre de la Marine et de la Maison du roi de 1723 à 1749, Maurepas (1701-1781) est pour

Voltaire « un protecteur peu bienveillant ». Mme Du Châtelet fait tout pour se le concilier tant son rôle est important pour la carrière de son ami. Il a laissé des *Mémoires* riches en anecdotes sur la vie de la cour, en particulier sur l'aventure malheureuse de Mme Du Châtelet avec Guébriand (*Mémoires*, éd. 1792, t. IV, p. 173).

30

Jacques Rigaud (1681-1754)
*Vüe particulière de la chapelle du château de Versailles. Prise du côté de la cour*
Vers 1740
Gravure, 54,5 × 31 cm
BNF, Estampes et Photographie, Va 78e folio, t. 7

À partir de 1745, la cour occupe une place prépondérante dans la vie de Voltaire et de Mme Du Châtelet qui se dépense pour son amant. Ils mènent la vie de courtisan entre

Paris et Versailles. Si Voltaire se consacre très sérieusement à sa nouvelle tâche d'historiographe, Mme Du Châtelet joue au cavagnole, va au bal, à l'opéra et fait peu parler d'elle. À Paris, ils s'installent rue Traversière à la fin de 1745. Voltaire, historiographe du roi de 1745 à 1749, jouissait d'un appartement à Versailles (partie de l'appartement 14 A) situé, au rez-de-chaussée du grand pavillon surmonté d'entresols sur la cour de l'opéra, la cour basse de la chapelle et la rue des Réservoirs. C'est, semble-t-il, le même appartement qu'occupe Mme Du Châtelet et pour lequel on trouve à plusieurs reprises des demandes de réparations d'elle ou de Voltaire dans les archives. Lorsque ce dernier était aussi à la cour, Mme Du Châtelet occupait un des petits appartements temporaires dans cette même partie du château.

31

Charles Nicolas Cochin (1715-1790)
a. *Bal à la cour de Louis XV*
Dessin, 19 × 32 cm
Paris, musée du Louvre, département des Arts graphiques, inv 25253

b. *Bal masqué donné par le roy à Versailles, dit le bal des Ifs*
Février 1745
Dessin, 44,3 × 76,4 cm
Paris, musée du Louvre, département des Arts graphiques, inv 25253

Parmi les festivités données en 1745 pour le mariage du Dauphin dans la nuit du 25 au 26 février 1745, eut lieu un bal costumé dans la galerie des Glaces. Mme Du Châtelet adorait les bals. Voltaire la dépeindra plus tard dans un impromptu, « À Madame Du Châtelet déguisée en Turc et conduisant au bal madame de Boufflers déguisée en sultane » :

*Sous cette barbe qui vous cache,
Beau Turc, vous me rendez jaloux !
Si vous ôtiez votre moustache,
Roxane le serait de vous.*

(Voir ill. p. 14)

VÜE PARTICULIERE  DE LA CHAPELLE DU CHATEAU DE VERSAILLES.
*Prise du Coté de la Cour.*

30

FONTAINEBLEAUX, tus relevas amables den siempre a
nuestres Reyes lo que haze una entretenimiente y deleytes;
Alli se hallon exercos para que hagan siempre une
mas grandes plazeras.

**FONTAINEBLEAU.**

À Paris chez Chiquet ... Saint Jacques à S. Pierre
avec Privilège du Roi

FONTAINEBLEAU que les amables forests,
Fournissent toujours à nos Roys;
Ce qui fait leurs plus grands amusements,
Que les Cerfs n'y craignent pour qu'ils puissent d'agréable ...

35

32
Jean Baptiste Joseph Aved
(1702-1766)
**Jean-Philippe Rameau**
Vers 1728
Huile sur toile, 128×184 cm
Dijon, musée des Beaux-Arts,
Inv. CAT 247

Après la tentative malheureuse
de *Samson*, Voltaire collabora
avec Jean-Philippe Rameau pour
la comédie-ballet *La Princesse de
Navarre* et l'opéra-ballet *Le Temple
de la gloire*, à Versailles en 1745.
Mᵐᵉ Du Châtelet, excellente
musicienne, n'appréciait guère
la musique de Rameau : « On vous
aura sûrement mandé ce que c'est
que Rameau et les différentes
opinions qui divisent le public sur
sa musique ; les uns la trouvent
divine et au-dessus de Lully ; les
autres la trouvent fort travaillée,

mais point agréable et point
diversifiée. Je suis, je l'avoue, des
derniers ; j'aime cent fois mieux
*Issé*, que l'on joue à présent »,
écrit-elle en décembre 1733.

33
Jean Baptiste Le Paon (1736-1785)
**Louis XV à Fontenoy**
Dessin, 54,2×94,5 cm
Versailles, musée national du Château,
MV 6182

La bataille de Fontenoy fut
gagnée le 11 mai 1745. En quelques
jours parurent plusieurs éditions
du panégyrique de Voltaire, les
unes sous le titre *La Bataille de
Fontenoy*, d'autres intitulés
*Le Poème de Fontenoy*. Soutenu
par Mᵐᵉ Du Châtelet, le poète est
au sommet de la faveur royale.

34
Voltaire
*Le Temple de la gloire*
Manuscrit, 36×25 cm
Reliure de maroquin violet aux armes
du duc de Richelieu
Versailles, bibliothèque municipale,
Ms 1126

On célébra le retour du roi en 1745
par la représentation du *Temple
de la Gloire*. Ce ballet à grand
spectacle fut joué dans la salle
du Manège où, quelques mois
auparavant, avait été représentée
*La Princesse de Navarre*.
« Le spectacle et les décorations,
dit le duc de Luynes, m'ont paru
être approuvés. La musique est
de Rameau, on a trouvé plusieurs
morceaux qui ont plu ; et le roi
même, à son grand couvert le soir,
en parla comme ayant été content.
Les paroles sont de Voltaire ; elles

sont fort critiquées. Voltaire était le soir aussi au souper du roi, et le roi ne lui a dit mot. »

Fontainebleau
À Paris, chez Crépy, début du XVIIIe siècle
Gravure anonyme, 51 × 70 cm
BNF, Estampes et Photographie,
Va 420, format 4

À plusieurs reprises, à l'automne, Mme Du Châtelet et Voltaire suivirent la cour à Fontainebleau pour la saison de la chasse. C'est là que Mme Du Châtelet fut à l'origine d'un incident que le duc de Luynes relate dans ses *Mémoires*

(8 octobre 1745) : « Elle arriva effectivement un quart d'heure avant que Sa Majesté montât en carrosse. On prétend que madame du Châtelet (Breteuil), toute remplie de la grandeur de la maison du Châtelet et des prérogatives qu'elle croit lui être dues, voudrait bien en toutes occasions passer la première et avoir la première place. On ne peut pas avoir plus d'esprit qu'elle en a, ni plus de science ; elle possède même les sciences les plus abstraites, et a composé un livre qui est imprimé ; elle est si vive qu'elle a quelquefois des distractions, et la prévention que l'on a contre elle fait que ces distractions sont attribuées

à la hauteur dont on l'accuse. La reine partit immédiatement au sortir de la messe. Madame du Châtelet s'avança la première pour le second carrosse ; elle y monta, et s'établit dans le fond, demandant aux trois autres dames si elles ne voulaient pas monter. Ces trois dames, choquées de ce procédé, la laissèrent seule dans le second carrosse et allèrent monter dans le troisième. Madame du Châtelet, un peu embarrassée, voulut descendre pour aller trouver ces dames, le valet de pied lui répondit que le troisième carrosse était plein. Elle fit donc tout le voyage seule […] »

## Les châteaux

Quand elle n'est pas à Paris ou à la cour, Mme Du Châtelet, avec ou sans Voltaire, multiplie comme il est alors d'usage les séjours dans les châteaux alentour, Sceaux, Anet, Chantilly, Champs, Saint-Maur, Segrez, mais aussi en province, comme à Richelieu ou à Reims.

Antoine Aveline (1691-1743)
*Vüe et perspective du château de Chantilly du côté de la cour*
Gravure coloriée, 34 × 52 cm
BNF, Estampes et Photographie,
Va 60 folio Chantilly

En 1735, alors que Voltaire est en Lorraine, Mme Du Châtelet est restée à Paris et mène sa vie mondaine. On la rencontre chez le prince de Condé à Chantilly. « Je vous écris dans le petit bois de Chantilly, au doux murmure d'une fontaine, comme une héroïne de roman », écrit-elle à son confident Richelieu à qui elle rapporte toutes les nouvelles et ragots de la haute société.

*Madame la duchesse Du Maine*
Gravure anonyme du début du XVIIIe siècle
Chez Chiquet, rue Saint-Jacques,
31 × 21 cm
BNF, Estampes et Photographie, N2

Anne-Louise-Bénédicte de Bourbon, duchesse Du Maine (1670-1753), mariée à un bâtard légitimé de Louis XIV, lance en 1714 les Grandes Nuits de Sceaux, suites de spectacles très variés. Après la mort du duc Du Maine, en 1746, elle organise à Anet et à Sceaux de nouvelles fêtes où brilleront Voltaire et Mme Du Châtelet.
Après la mort d'Émilie, Voltaire reviendra encore à Sceaux avec Lekain.

Jacques Rigaud (1681-1754)
*Château d'Anet*
Vers 1740
Dessin à la plume et lavis à l'encre de Chine, 21,7 × 47,3 cm
BNF, Estampes et Photographie,
Rés. Ve 26h folio, coll. Destailleur,
n° 569

La duchesse Du Maine renouvelle à Anet les fêtes de Sceaux. En 1746, Voltaire et Mme du Châtelet sont les hôtes de la duchesse.

Ils y reviennent l'année suivante. Le séjour de Mme Du Châtelet à Anet en 1747 suscite les perfides moqueries de Mme de Staal-Delaunay : « Madame du Châtelet est d'hier à son troisième logement. Elle ne pouvait plus supporter celui qu'elle avait choisi ; il y avait du bruit, de la fumée sans feu (il me semble que c'est son emblème). Le bruit, ce n'est pas la nuit qu'il l'incommode, à ce qu'elle m'a dit, mais le jour, au fort de son travail : cela dérange ses idées. Elle fait actuellement la revue de ses principes : c'est un exercice qu'elle réitère chaque année, sans quoi ils pourraient s'échapper, et peut-être s'en aller si loin qu'elle n'en retrouverait pas un seul. » Elle se moque de son besoin de tables : « Il lui en faut de toutes les grandeurs, d'immenses pour étaler ses papiers, de solides pour soutenir son nécessaire, de plus légères pour les pompons, pour les bijoux. »

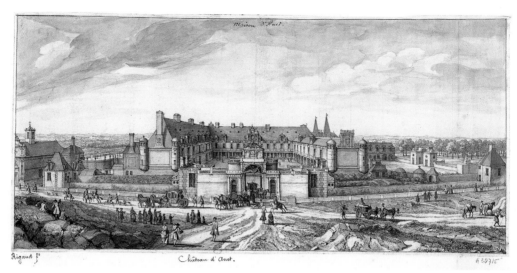

38

39

39

Jacques Rigaud (1681-1754)
*Veüe du château de Seaux prise
du haut de l'allée de la Diane*
Gravure, 22 × 43 cm
BNF, Estampes et Photographie, Va 92b,
folio, Sceaux

En octobre 1747, après l'incident
du jeu de la reine, Voltaire trouva
refuge à Sceaux chez la duchesse
Du Maine. M^me Du Châtelet, ayant
réussi à calmer les esprits et à
payer ses dettes de jeu, le rejoignit.
Dès ce moment on ne s'y occupa
que de fêtes et de divertissements
autour de la duchesse, comédie,
opéra, bals, concerts. M^me Du
Châtelet joua *La Prude*, de Voltaire,
et eut beaucoup de succès dans
le rôle d'Issé, dans celui de Zirphé
dans *Zélindor*, puis dans le rôle
de Fanchon dans les *Originaux*,
comédie de Voltaire faite à Cirey.
« Ce rôle semblait avoir été fait
exprès pour elle ; sa vivacité, son
enjouement, sa gaîté s'y montraient
d'après nature », écrit Longchamp.

40
Charles Nicolas Cochin (1715-1790)
*Le duc de La Vallière*
1757
Gravure, 19 × 14 cm
BNF, Estampes et Photographie, N2

À plusieurs reprises
Mme Du Châtelet et Voltaire
séjournèrent à Champs chez le duc
de La Vallière. Ils y retrouvaient une
joyeuse société, Moncrif, l'abbé
de Voisenon, Mme Du Deffand.

Ils s'y adonnaient au jeu,
au théâtre mais aussi à la lecture
grâce à la magnifique bibliothèque
du duc. L'abbé de Voisenon
devint un des confidents
de Mme Du Châtelet.

## Bruxelles

41
*Coenebium Bruxellensis Ord.
Eremit. S. Augustini*
Gravure anonyme du XVIIe siècle,
36 × 47 cm
BNF, Arsenal, Est topographie,
Belgique, t. 37

En mars 1739, Mme Du Châtelet
et Voltaire quittèrent Cirey pour
Bruxelles afin de s'occuper d'un
long et épineux procès d'héritage.

Ils firent plusieurs séjours
à Bruxelles et y eurent différents
domiciles – à l'hôtel de l'Impératrice,
puis rue de la Grosse-Tour –,
fréquentant la meilleure société
pour laquelle, le 28 juin 1739,
ils donnèrent une grande fête.
En 1741 Émilie fut curieusement
élue prévôte de la confrérie des
Esclaves de la Vierge Marie et c'est
dans l'église des Augustins qu'elle

dut décorer, le 1er mai 1741,
l'autel de la Vierge.
À Bruxelles, entre 1742 et 1745,
elle noua également des relations
très intimes, si l'on en juge par
le ton des huit lettres conservées,
avec un jeune juriste, Charliers,
qu'elle appelle « cher ange » et
qui devait mourir le 26 juin 1746
à l'âge de trente-cinq ans.

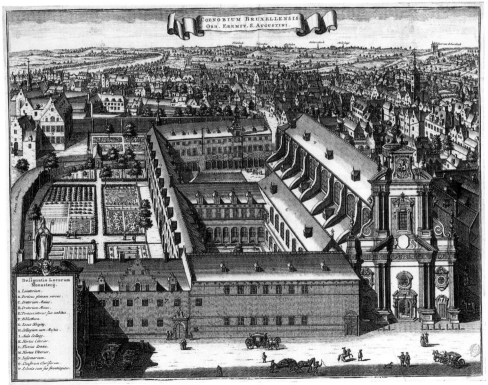

41

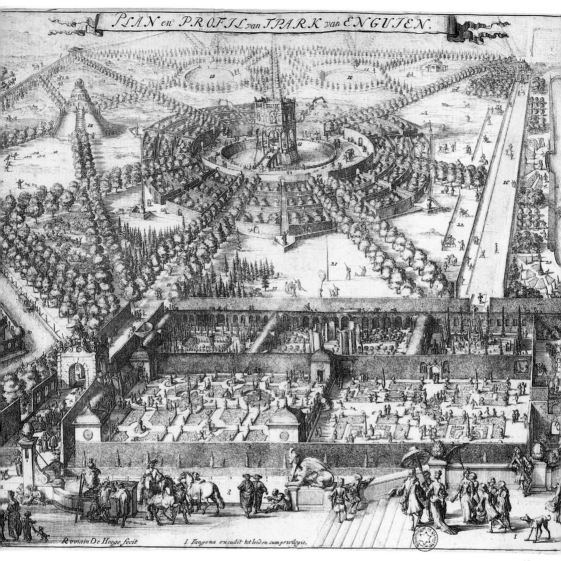

42

Romain de Hooge (1645-1708)
*Plan en profil van i park
van Enguien*
Leyde, I. langena, 39×47 cm
BNF, Arsenal, Est Topographie,
Belgique, t. 38

En juillet 1739, le duc d'Arenberg invita le couple dans son château d'Enghien. Ils jouèrent au brelan et Voltaire trouva qu'« il y a des jardins plus beaux que ceux de Chantilly [...] on y mène cette vie douce et libre qui fait l'agrément de la campagne. Le possesseur de ce beau séjour vaut mieux que beaucoup de livres ; je crois que nous allons y jouer la comédie ; on y lira du moins les rôles des acteurs ».

43

Lunéville

43
Stanislas Leczinski
Anonyme, d'après Van Loo
Huile sur toile, 77 × 69 cm
Versailles, musée national du Château,
MV 4384

Roi détrôné de Pologne, Stanislas Leczinski règne sur la Lorraine et sur une petite cour familiale. Il se pique de littérature et de philosophie et accueille de février à octobre 1748 le couple prestigieux qui rehausse l'éclat de sa cour. On va de château en château, Lunéville, Commercy, La Malgrange, Chanteheu. Voltaire a des succès littéraires, fait jouer son théâtre. M$^{me}$ Du Châtelet se préoccupe beaucoup de la carrière de son mari, qu'elle parvient à faire nommer grand maréchal des Logis du roi, avant d'être subjuguée par Saint-Lambert. Le roi Stanislas Leczinski avait beaucoup d'amitié et d'estime pour M$^{me}$ Du Châtelet. Il la reçut à Lunéville, mais aussi à Trianon : quand en avril 1749 elle lui y rendit visite, il l'invita à rester pour travailler à sa traduction de Newton. Il accepta qu'elle vienne accoucher à Lunéville où il lui proposa une petite maison.

*Vue en perspective de la Cascade et du Pavillon au bout du Canal des Jardins de Lunéville*

44

44

*Vue en perspective de la cascade
et du pavillon au bout du canal
des jardins de Lunéville*
Planche XV du tome I de l'ouvrage
*Recueil des plans, élévations et
coupes [...] des châteaux, jardins
et dépendances que le roy de Pologne
occupe en Lorraine [...]*
[Par E. Héré], Paris, ce (sic) vend à Paris
chés François Graveur de sa Majesté,
Reliure maroquin rouge aux armes
de Pologne, 64 × 50 cm
BNF, Arsenal, Est 94

Pendant les trente années de son
règne, Stanislas se montra un grand
bâtisseur. Son architecte
Emmanuel Héré était un disciple de
Boffrand. Le château de Lunéville
devint le « Versailles lorrain ».
M^me Du Châtelet fit plusieurs
séjours à la cour de Stanislas.
La correspondance de
M^me de Graffigny avec François
Devaux, dit Panpan, petit écrivain
mondain et figure essentielle de la
cour de Lunéville, révèle le rôle de
celle qu'elle appelle « la Chimère »,
« l'Ennemie », « le Monstre ».
La marquise y règne avec une
petite coterie : M^me de Boufflers
avec laquelle elle se brouille
parfois, M^me de Bassompierre,
le vicomte de Rohan, amant de
la marquise de Boufflers, et bien
sûr Saint-Lambert et ses « deux
maris », comme dit malignement
Devaux. Alliot, l'intendant
du roi, la déteste et se réjouira
cruellement de sa mort.

45
*Marie Françoise Catherine
de Beauvau-Craon,
marquise de Boufflers*
Gravure au pointillé, anonyme,
20,5 × 15 cm
BNF, Estampes et Photographie, N2

La marquise de Boufflers régnait
sur la cour de Lunéville et sur
le roi de Pologne. Ses relations
d'amitié avec M^me^ Du Châtelet ne
furent pas exemptes de brouilles.
C'est à elle que M^me^ Du Châtelet,

voulant accoucher à Lunéville,
avouera sa pénible situation,
déjà connue de tous.

45

Une femme de passion

# Les excès de la passion

Elisabeth Badinter

Contrairement à M<sup>me</sup> Du Deffand née « sans tempérament ni roman », Émilie Du Châtelet n'envisage la vie que sous les couleurs de la passion. De toutes les passions. À l'inverse de la plupart des moralistes, elle pense que l'« on n'est heureux que par des goûts et des passions satisfaites […]. Ce serait donc des passions qu'il faudrait demander à Dieu, si on osait lui demander quelque chose [1] ». De ce point de vue, le Seigneur l'a comblée. Née avec un tempérament de feu, sujette à des colères homériques [2], elle a besoin de sensations fortes pour se sentir exister. C'est ainsi qu'elle vivra jusqu'à l'extrême ses trois grandes passions : le jeu, l'amour et l'étude.

Elle aime les jeux à la folie dès lors qu'ils la mettent en danger. D'abord les jeux de cartes, tels le brelan, le pharaon, le cavagnole ou la comète, quand on joue gros et qu'on risque d'y laisser sa chemise. Comme tous les vrais joueurs, M<sup>me</sup> Du Châtelet a davantage perdu que gagné et l'on ne compte plus les fois où Voltaire a épongé ses dettes pour sauver son honneur. D'aucuns y verraient un vice impardonnable. Pas elle, qui en fait l'éloge : « Notre âme veut être remuée par l'espérance ou la crainte ; elle n'est heureuse que par les choses qui lui font sentir son existence. Or le jeu nous met perpétuellement aux prises avec ces deux passions, et tient, par conséquent, notre âme dans une émotion qui est un des grands principes du bonheur qui soit en nous [3]. » De fait, au jeu de la Reine ou dans une gargote avec des inconnus, Émilie perd toute notion du temps, de la raison et de la prudence. Le cœur battant, elle s'abandonne à une jouissance indescriptible. Bien qu'ils soient moins risqués et donc moins excitants, Émilie adore les jeux de la scène. Elle excelle à se mettre dans la peau de ses personnages et à exprimer leurs passions comme si c'était les siennes. Sur scène, elle est capable de tout, y compris de faire rire d'elle. Lors d'une représentation du *Grand Boursoufle* chez la duchesse Du Maine, M<sup>me</sup> de Staal Delaunay qui la déteste est bien obligée de constater : « Mademoiselle de la Cochonnière a si parfaitement exécuté l'extravagance de son rôle, que j'y ai pris un vrai plaisir [4]. » Bonne actrice et chantant l'opéra comme un « ange », elle pratique ces jeux-là avec le même excès que tout le reste. Les malheureux

---

**1** *Discours sur le bonheur*, Paris, Rivages-Poche / Petite bibliothèque Rivages, 1997, p. 33. **2** Françoise de Graffigny, *Correspondance de Madame de Graffigny*, Oxford, Voltaire Foundation, 1985, tome I, I [19 janvier 1739], p. 288. **3** *Discours sur le bonheur, op. cit.*, p. 61. **4** Voltaire, *Correspondence and Related Documents* (Th. Besterman éd.), Voltaire Foundation, Genève, 1970, D 3567 [27 août 1747].

invités de Cirey, contraints de suivre le rythme effréné de leur hôtesse, en savent quelque chose. M$^{me}$ de Graffigny, épuisée, note : «Nous jouons aujourd'hui *L'Enfant Prodigue* et une autre pièce en trois actes dont il faut faire les répétitions. Nous avons répété *Zaïre* jusqu'à trois heures du matin; nous la jouons demain avec la *Sérénade*. Il faut se friser, s'ajuster, entendre chanter un opéra [...]. Nous avons compté hier au soir que dans les 24 heures, nous avons tant répété que joué trente-trois actes, tant tragédie, opéra que comédie[5].»

Mais tout cela n'est rien à côté de la seule grande passion «qui puisse nous faire désirer de vivre et nous engager à remercier l'auteur de la nature, quel qu'il soit, de nous avoir donné l'existence[6]» : l'amour, c'est-à-dire ce goût mutuel de deux âmes également sensibles au bonheur et au plaisir. Mais ne nous y trompons pas : bonheur et plaisir ne sont pas sur un pied d'égalité. Elle attribue au plaisir des corps une importance que lui dénient la plupart des moralistes. «Les années de Nestor, écrit-elle, ne sont rien au prix d'un quart d'heure d'une telle jouissance[7]» et quand le désir nous quitte, l'amour disparaît pour laisser place à l'amitié. Or, M$^{me}$ Du Châtelet appartient à la race des insatiables. Elle ignore l'indolence et la tiédeur qui peuvent naître avec le temps et la «continuité d'un commerce». Elle est, dit-elle, de «ces âmes tendres et immuables qui ne savent ni déguiser ni modérer leurs passions, qui ne connaissent ni l'affaiblissement, ni le dégoût, et dont la ténacité sait résister à tout, même à la certitude de n'être plus aimée[8]». Mais le malheur veut qu'il ne peut naître qu'un seul cœur comme le sien en un siècle et qu'en produire deux soit au-dessus des forces de la divinité! Autant dire qu'Émilie allait au-devant de bien des chagrins!

À ce jour, on lui connaît six amants : une passade sans conséquence avec son chargé d'affaires à Bruxelles, des amours contingentes avec le duc de Richelieu et Maupertuis et trois passions dévastatrices : la première, la dernière et Voltaire. Le comte de Guébriand est son premier amant. C'est un don Juan assez médiocre, élégant, bon danseur et beau parleur. Elle a vingt et un ans et en tombe éperdument amoureuse, sans être payée de retour. Rien de tel pour faire fuir un homme peu épris que de le relancer, le supplier, et l'accabler de ses gémissements. Au désespoir, elle exige une dernière entrevue. Il accepte pour lui dire qu'il veut rompre. Avant qu'il ne s'en aille, elle lui demande un bol de bouillon posé sur la cheminée et le boit d'un trait devant lui. Puis elle lui remet une lettre à n'ouvrir que dans la rue. Quelques instants plus tard il lit : «Je meurs empoisonnée par votre main.» Il n'eut que le temps de donner l'alarme [...] On se gaussa de cette histoire qui fit le tour des salons, mais la jeune marquise avait vraiment voulu mourir d'amour. Vingt ans plus tard, méditant sur elle-même, elle pourra affirmer qu'une «première passion emporte tellement hors de soi

5 Françoise de Graffigny, *op. cit.*, [9 février 1739], p. 313. 6 *Discours sur le bonheur, op. cit.*, p. 61. 7 *Ibid.*, p. 62. 8 *Ibid.*, p. 63.

une âme de cette trempe [la sienne] qu'elle est inaccessible à toute réflexion et à toute idée modérée […]. Mais le plus grand inconvénient attaché à cette sensibilité emportée est qu'il n'y a presque point d'homme dont le goût ne diminue par la connaissance d'une telle passion[9]». Elle concluait que pour conserver longtemps le cœur d'un amant, il faut alterner le chaud et le froid.

Reste que sa dernière passion pour le jeune Saint-Lambert ressemble en tout point à la première. À quarante et un ans, elle a oublié ses sages réflexions et se comporte comme la jeune femme de vingt et un ans, sans les grâces de la jeunesse. Elle l'accable de ses attentions, de ses lettres, de ses reproches et de son adoration. Or Saint-Lambert n'est guère plus épris que Guébriand et la passion dévorante de cette femme impétueuse et exigeante l'ennuie au plus haut point. Il n'aura pas la peine de rompre puisqu'elle mourra de ses œuvres. À la légèreté des sentiments il avait ajouté la maladresse de l'amant.

Entre Guébriand et Saint-Lambert, il y a Voltaire, l'homme de sa vie. Pendant quinze ans, il ne se sont guère quittés, partageant les plaisirs et les peines et, ce qui est plus rare, les mêmes passions intellectuelles. Durant les premières années du tête-à-tête de Cirey, ils se sont adorés et ont beaucoup travaillé. «Des philosophes très voluptueux», disait Voltaire. C'est l'époque des odes dédiées à son génie, à sa beauté, où il dit sans détour son admiration et son amour pour elle. De son côté, elle a vu grandir sa passion pour lui au fil des jours à Cirey. En peu de temps, elle prend conscience qu'il lui est aussi indispensable que l'air qu'elle respire. Lorsqu'il s'éloigne quelques mois en Hollande puis en Prusse, elle se dit malade de chagrin, incapable de survivre à son absence. Mais peu à peu la passion s'étiole, l'autoritarisme de la marquise reprend ses droits et Voltaire, de dix ans son aîné, est bien loin d'avoir le tempérament de sa compagne. Les quarts d'heure qui valent les années de Nestor se font plus rares… Il prend prétexte de sa santé, elle fait mine de comprendre et d'accepter. Elle veut à tout prix conserver l'illusion que rien n'a changé puisqu'elle aime pour deux. Mais quand elle apprend que Voltaire a une aventure avec la jolie Mlle Gaussin, puis qu'il entretient une liaison avec sa nièce, Mme Denis, c'est un véritable deuil qu'elle doit opérer. Après les scènes et les larmes, elle pardonne tout. «La certitude et l'impossibilité du retour de son goût et de sa passion […] ont amené insensiblement mon cœur au sentiment paisible de l'amitié[10].» La rupture est impossible avec cet homme devenu son compagnon de vie, dont l'esprit éblouissant la séduit toujours et qui veille sur elle comme nul autre. Voltaire, de son côté, a tout accepté: ses tyrannies, ses caprices et ses pérégrinations. Il a même accepté Saint-Lambert, non sans une scène de jalousie. Il est resté près d'elle jusqu'au dernier jour et ne s'est jamais complètement remis de la disparition de son «*ami de vingt ans*[11]». Mme Denis qui lui succédera ne la remplacera pas.

---

**9** *Ibid.*, p. 64. **10** *Ibid.*, p. 67. **11** Voltaire, *Correspondence…, op. cit.*, D 4015 [10 septembre 1749].

## Les divertissements de la cour

46
Marianne Loir
(Vers 1715 – après 1779)
**Portrait présumé de
M<sup>me</sup> Du Châtelet**
Huile sur toile, 120 cm × 100 cm
Collection particulière

Ce portrait par Marianne Loir n'est
pas vraiment établi comme étant
celui de M<sup>me</sup> Du Châtelet mais on
peut y voir une ressemblance avec
l'autre portrait peint par l'artiste.
*(Voir ill. p. 19)*
Derrière le personnage est
représentée une sphère armillaire.
Sous sa main droite est disposée
une carte de l'Amérique centrale,
allusion possible à *Alzire ou les
Américains* que Voltaire lui avait
dédiée. Elle tient un bâton terminé
par une main sur laquelle est peint
un œil, peut-être un symbole des
Lumières. Mais il pourrait aussi
s'agir d'une marotte de pythonisse
qu'on imagine mal dans les mains
de M<sup>me</sup> Du Châtelet.

47
Gabriel Jacques de Saint-Aubin
(1724-1780)
*Apollon et Issé en paniers
de baleine*
Vers 1756
Dessin, 21,5 × 17,5 cm
BNF, bibliothèque-musée de l'Opéra,
Musée 581

*Issé*, par Destouches, sur un livret
d'Houdar de La Motte, raconte
l'histoire d'Apollon qui, amoureux
de la nymphe Issé, se déguise en
berger pour la séduire. La pièce,
depuis sa création en 1697, eut
beaucoup de succès et fut très
souvent jouée dans les théâtres
privés, chez la duchesse Du Maine
ou chez M<sup>me</sup> de Pompadour.
Ce fut un des rôles favoris de
M<sup>me</sup> Du Châtelet. À l'occasion de
son interprétation à Sceaux en 1747
Voltaire lui dédia une amusante
« Parodie de la sarabande d'Issé » :

*Charmante Issé, vous nous faites
entendre / Dans ces beaux lieux
les sons les plus flatteurs ; / Ils vont*

*droit à nos cœurs : / Leibnitz
n'a point de monade plus tendre, /
Newton n'a point d'xx plus
enchanteurs ; / À vos attraits on les
eût vus se rendre ; / Vous tourneriez
la tête à nos docteurs : / Bernouilli
dans vos bras, / Calculant vos
appas, / Eût brisé son compas.*

Très satisfaite de ses talents,
M<sup>me</sup> Du Châtelet avait envoyé
un très grand nombre d'invitations
aux représentations, ce qui déplut
quelque peu à la duchesse Du Maine.

48
Jean-Baptiste Martin (1659-1753)
a. *Paysan galant*
b. *Paysanne galante*
Épreuves coloriées, 39 × 28,5 cm
BNF, Arsenal, Est 200, f. 121 et 120

Dessinés par Martin au milieu du
XVIII<sup>e</sup> siècle, ces costumes de
danseurs illustrent la richesse et
l'élégance des spectacles de cour.
« M<sup>me</sup> Du Châtelet a chanté Zirphé
avec justesse, l'a jouée avec

Paysan Galant.

Paysanne Galante.

48 a

48 b

apollon vissé en paniers de baleine

noblesse et avec grâce.
Quatre mille diamants faisaient son
moindre ornement », écrit Voltaire
en novembre 1747 à Moncrif,
l'auteur du livret de *Zélindor*.

Le 24 août 1747, elle joue à Anet
*Le Comte de Boursoufle*, de
Voltaire, déjà joué à Cirey en 1734,
mais c'est surtout à Sceaux,
à l'automne 1747, qu'elle brillera

particulièrement, jouant dans
*Zelindor*, dans *Les Originaux* de
Voltaire, dans *Issé*, et enfin dans
*La Prude*. Elle continuera à Lunéville
avec la même ardeur.

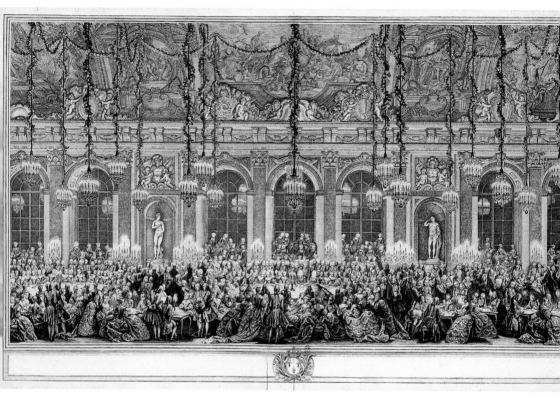

49

Charles-Nicolas Cochin,
père (1688-1754), fils (1715-1790)
*Décoration et dessein du jeu
tenu par le roy et la reine dans
la grande gallerie de Versailles…
le 9 février 1747*
Dessiné d'après nature par C. N. Cochin
fils, gravé par C. N. Cochin père,
47 × 77 cm
BNF, Estampes et Photographie, AA5 Rés

En 1747, l'épisode célèbre du jeu
de la reine raconté par Longchamp
montre la totale dépendance au jeu
de M^me Du Châtelet. Elle avait
rassemblé tout l'argent qu'elle
pouvait mais : « Cette nuit, le jeu
chez la reine avait été très orageux,
et madame du Châtelet s'en était
surtout mal trouvée… Hélas ! cet
argent n'y fit que paraître et
disparaître. Piquée d'un malheur
si constant, elle crut le faire cesser

à la fin, et, s'obstinant à vouloir
réparer ses pertes, elle continua de
plus belle, cava au plus fort sur sa
parole, et perdit quatre-vingt-quatre
mille francs avec une intrépidité
inconcevable. Après le jeu,
M. de Voltaire, qui était à côté
d'elle, effrayé d'une perte
si considérable, lui dit en anglais
que les distractions qu'elle avait
au jeu l'empêchaient de voir
qu'elle jouait avec des fripons. »

**50**

**Jeu de cavagnole**
1735-1756

a. Coffret en acajou contenant
2 sacs en soie avec boules fermoirs
en ivoire, 44 olives de bois clair,
195 olives de bois noir avec
parchemins roulés
Paris, musée des Arts décoratifs,
Inv. 31214

b. 32 cartes en carton peint,
dos parchemin vert représentant
les *Fables* de La Fontaine
xviiie siècle
Paris, musée des Arts décoratifs,
Inv. 31217

Variante du biribi, sorte de loto,
le cavagnole se compose
d'un grand tableau de cases
numérotées. Des billets numérotés
roulés sont enfermés dans de
grosses olives en bois rassemblées
dans un sac surmonté d'un dôme
en ivoire, en cachant la vue au
tireur pour éviter les tricheries.
Le numéro sélectionné est annoncé
et le joueur ayant misé sur le bon
numéro obtient sa mise multipliée
par 36 ou par 64. Arrivé en France
au début du xviiie siècle, il connut
un énorme succès à la cour,
chez la reine. Mᵐᵉ Du Châtelet
s'y adonne passionnément et
perd des sommes considérables.
Elle s'en explique dans son
*Discours sur le bonheur* :
« Notre âme veut être remuée
par l'espérance ou la crainte [...].
Or le jeu nous met perpétuellement
aux prises avec ces deux passions
et tient par conséquent notre âme
dans une émotion qui est un des
grands principes du bonheur
qui soient en nous. Le plaisir que
m'a fait le jeu a servi souvent
à me consoler de n'être pas riche. »

**51**

Nicolas de Larmessin (1684-1753)
*L'Après-dîner*
Gravure d'après Lancret, 32 × 36 cm
BNF, Estampes et Photographie,
Db16 Lancret

Une des distractions des soirées
à Cirey avec les dames du voisinage
est le tric-trac. On y joue aussi
à Lunéville. Autre jeu favori de
la petite cour, la comète.
Voltaire reprochait beaucoup
à Mᵐᵉ Du Châtelet sa passion du jeu,
d'autant plus que c'était en général
lui qui payait ses dettes (la seule
lettre connue de Mᵐᵉ Du Châtelet
à Voltaire est une demande
d'argent). Lui aussi cependant
s'adonnait au jeu et, en avril 1748
à Lunéville, Devaux raconte
à Mᵐᵉ de Graffigny : « Ce charmant
Voltaire était de mauvaise humeur ;
il venait de perdre son argent
comme il fait tous les jours.
Il joue tous les jeux, il les joue
gros et n'en sait pas un. Il fait pitié
à tous les sots quand il a les cartes
ou le cornet à la main. »

50

## Une femme à la mode

52
Charles Nicolas Cochin (1715-1790)
*Le Tailleur pour femme*
1737
Gravure, 26,5 × 21 cm
BNF, Estampes et Photographie, Md 43,
folio, t. 24, p. 36

M^me Du Châtelet était une coquette
passionnée. Les inventaires après
décès dressés à Paris et à Lunéville
donnant la description de ses
vêtements et la liste des nombreux
fournisseurs à qui elle doit de
l'argent confirment ce goût pour
la parure. On y trouve cités les
bijoutiers Girost, L'Empereur,
Hébert, Fayolle, Spote, La Vigne,
Le Brun, Le Roy, Gillet, les soieries
Gaucherelle, les dentelles Boivin,
les marchandes de mode Alexandre,
Quiret, Duchapt, les parfumeurs
Dulac, Vigier.

53

53
**Inventaire des effets
de monsieur le marquis
Du Châtelet et de feue
madame, Lunéville,
11-12 septembre 1749**
Pages 11-12
Nancy, archives départementales
de Meurthe-et-Moselle, 10 B 411

On devine, par la lecture de
l'inventaire dressé à Lunéville
après sa mort, une dame à la
pointe de cette nouvelle mode
qui se dessine au tournant du
siècle. Les nombreuses robes
de soie alternent avec les
robes de gaze ou de perse.
Son goût pour les rubans, les
dentelles, les bijoux et les
pompons était certes prononcé,
mais il était impossible à une
femme de son rang de paraître
à la cour sans se plier aux règles
très exigeantes de l'étiquette
en matière d'habillement.
On la décrit en revanche,
à Cirey, avec une robe
d'indienne et un vieux tablier
noir, les cheveux au naturel.

**54**
### Robe à la française et tablier de jupe
Vers 1735-1740
Satin à poil traînant, lancé, latté interrompu,
soie ; passementerie, fils de soie polychromes
Paris, musée Galliéra, musée de la Mode
de la Ville de Paris, Inv. Gal 1985. 1. 208.ab
(acquisition de la Ville de Paris)

Dans les années 1730, le décor des
soieries façonnées connaît une véritable
révolution : les dessinateurs lyonnais
préfèrent alors les effets de relief et
le travail sur les demi-teintes aux effets
de textures et aux couleurs franches.
L'un des plus célèbres, Jean Revel, met
au point la technique dite des « points
rentrés » qui permet de créer des effets
de modelé en appliquant des dégradés
de couleurs entre le motif et le fond
de l'étoffe. Les décors naturalistes sont
composés de fleurs et de fruits où
peuvent se mêler des architectures,
des chinoiseries ou, comme ici, des
instruments de musique accompagnés
de partitions.  P. G. B.

**55**
### Casaquin dit de chasse
Vers 1730-1740
Gros de Tours, soie orange ; doublure, toile,
lin bleu pâle, glacée ; dentelles d'argent
Paris, musée Galliéra, musée de la Mode
de la Ville de Paris, Inv. Gal 2004. 31.1
(acquisition de la Ville de Paris)

Ce casaquin, court et à basques,
était associé à une jupe sur panier.
Maurice Leloir, dans son *Histoire du
costume* publiée en 1938, précise que
ce costume féminin était destiné à la
chasse. Il semble avoir été très à la mode
dans le deuxième quart du XVIIIe siècle et
le musée Galliéra en possède une dizaine
de cette période dans ses collections.
Celui-ci a une provenance illustre
puisqu'il était conservé au château de
Belœil, propriété des princes de Ligne
située dans ce qui s'appelait au siècle
des Lumières les Pays-Bas d'Autriche
(actuelle Belgique). Dans ses mémoires,
Charles-Joseph, prince de Ligne (1735-
1814), restitue avec verve l'atmosphère
de son enfance : « Mon père […]
dépensait des millions pour créer Belœil
et des millions dans Belœil où il donnait
quelquefois des fêtes et tenait l'état
d'un roi. »  P. G. B.

54

55

**56**

**Panneau de jupe**
Vers 1735-1740
Lampas liseré, broché,
soie et ondé de soie
Paris, musée Galliéra, musée de la Mode
de la Ville de Paris, Inv Gal 1993. 11. X
(fonds ancien)

Dès la première moitié du
XVIIIe siècle, les fabricants
de soieries façonnées et les
marchands merciers, lyonnais
et parisiens, perfectionnent des
techniques de production et
de commercialisation adaptées
à une clientèle cosmopolite.
Gilets et habits sont tissés
à disposition, le décor étant prévu
pour des endroits spécifiques
– devants, revers de poches,
poignets d'habits ou de vestes.
Cette pratique s'étend également
aux vêtements féminins,
en particulier aux jupes portées
sous la robe. P. G. B.

**57**

**Corps à baleines**
Vers 1735-1740
Gros de Tours, liseré, broché,
soie, or ou filé argent, lame or ;
dentelles d'or et d'argent
Paris, musée Galliéra, musée de la mode
de la Ville de Paris, Inv. Gal 1973.66.1
(don de Mme André Boudin)

**58**

**Veste d'homme**
Vers 1735-1740
Taffetas à effet de poil traînant, broché,
soie, filé riant argent et lame argent ;
doublure, taffetas, soie ; boutonnières
en application de filé et lamé argent ;
boutons de bois recouvert de filé argent
Provenance : collection Albert Gilles
Paris, musée Galliéra, musée de la Mode
de la Ville de Paris, Inv. Gal 1960.58.39
(don de la Société de l'histoire
du costume)

Au XVIIIe siècle, l'homme endosse
sous l'habit un gilet ou, lorsque
celui-ci possède des manches,
une « veste ». Celle-ci a souvent des
manches dans une étoffe de soie
légère et unie terminées par des
poignets réalisés dans l'étoffe des
devants. La veste présentée,

entièrement de taffetas broché,
pouvait se porter indépendamment
d'un habit. P. G. B.

**59**

**Fond de bonnet**
Vers 1715-1735
Dentelle dite de Binche (dentelle aux
fuseaux), lin ; larges dessins de crosses,
fleurs et feuilles diverses exécutées en
point de tissage simple (toilé) sur des
fonds plus clairs, parfois composés de
pois ajourés au centre ou sur les bords
Paris, musée Galliéra, musée de la Mode
de la Ville de Paris, Inv. Gal 1977.90.2
(don de Mme Brach)

Ce travail, d'aspect confus en
raison d'une multiplicité de
« fonds », est typique des dentelles
anciennes de la région des Flandres
(Malines, Binche, Valenciennes)
de la fin du XVIIe et du début du
XVIIIe siècle. Les piquages anciens
ne comportaient que les motifs,
et les ouvrières remplissaient
le reste à leur guise. Ce fond
de bonnet est composé de cinq
bandes de dentelle délicatement
assemblées. Les dessins sont
symétriques comparés à la bande
centrale et proviennent peut-être
de trois dentelles différentes. M. D.

**60**

**Barbes**
Première moitié du XVIIIe siècle
Dentelle de Valenciennes, dite à mailles
rondes (dentelle aux fuseaux), lin ;
décor de fleurs fantastiques et d'oiseaux,
peut-être des paons ; bordure de dessins
divers parfois rattachés aux motifs
du centre
Paris, musée Galliéra, musée de la Mode
de la Ville de Paris, Inv. Gal 1985. 12 ab

Le réseau est assez dense et
la ligne ajourée qui borde les motifs
est caractéristique des dentelles
de Valenciennes et de Binche.
Les picots sont un ajout
du XIXe siècle : quand le bord
de la dentelle était usé,
on cousait finement une rangée
de picots mécaniques qui
se vendaient au mètre.
Une barbe complète comprenait
trois pièces : deux pans assez

larges qui retombaient des deux
côtés du visage et une dentelle
assortie, parfois du même modèle,
qui se cousait au bord du fond de
coiffe.
Les dentelles étant très coûteuses,
on les employait le plus longtemps
possible, ce qui explique qu'il soit
rare de trouver la dentelle du bord
du bonnet encore cousue après la
barbe, comme ici. M. D.

**61**

**Engageante à un volant**
Seconde moitié du XVIIIe siècle
Dentelle d'Argentan (travail à l'aiguille), lin
Paris, musée Galliéra, musée de la Mode
de la Ville de Paris, Inv. Gal 1973. 42. 5
(don de Mme Lagarde)

Le principe des dentelles à l'aiguille
est de créer les motifs à partir d'une
sorte de point de feston : sur un fil
tendu, on aligne les points les uns
à côté des autres et on revient faire
le deuxième rang en accrochant les
points dans ceux du tour précédent.
S'ils sont trop serrés, on obtient un
motif plein, mais en les espaçant on
peut créer toutes sortes de dessins.
Les motifs ainsi créés sont fixés
par un réseau, soit fait en points
simples, soit fait de brides brodées
au point de feston comme c'est
le cas ici. Le réseau est hexagonal
et chaque côté est recouvert de huit
points (environ) : c'est le réseau
de la dentelle d'Argentan. M. D.

**62**

**Barbe**
Début du XVIIIe siècle
Dentelle de Malines
(dentelle aux fuseaux), lin
Paris, musée Galliéra, musée de la Mode
de la Ville de Paris, Inv. Gal 2504 (don de
la Société de l'histoire du costume)

Cette barbe est un exemple en très
bon état d'un type de dentelle du
début du XVIIIe siècle, la dentelle
de Malines à fond d'armure, dont
on ne sait presque rien sauf qu'elle
est très rare.
Les dessins sont entourés d'un fil
plus épais, le cordonnet. Le réseau,
complexe et léger, dérive des fonds

en pois des dentelles de Flandres :
en effet, on l'obtient en exécutant un
réseau de pois en point de grille au
lieu d'un toilé. Mais il faut placer six
épingles pour faire un motif. **M. D.**

### 63
Jean Mondon
*Premier livre de pierreries*
*pour la parure des dames [...],*
*inventé et gravé par lui-même*
Paris, Cl. Duflos, [1736]
In-8°, 17,5 × 21 cm
BNF, Estampes et Photographie, Le-47 a-4

La passion d'Émilie pour les
diamants était notoire :
M^me de Graffigny et l'abbé Le Blanc
la décrivent parée de bijoux.
Voltaire aussi nous la présente
« couverte de diamants » et craint
que « son goût pour les rubans
et pour les diamants soit presque
aussi fort que pour les
démonstrations d'Euclide »
(lettre à M^me de Tencin,
4 janvier 1742).

### 64
**Nécessaire de toilette de métal
argenté de M^me de Parabère**
Trois boîtes, XVIII^e siècle
Paris, musée du Louvre, département
des Objets d'art, OA 9939

Voltaire écrit à Moussinot le 5 juin
1737 : « Voici, mon cher ami, une
autre petite négociation. M^me la
marquise du Châtelet a commandé
un nécessaire à Hébert, *au roi
de Siam*, qui a changé, je crois,
de logement, et qui demeure rue
Saint-Honoré, vis-à-vis l'oratoire.
Il faudrait lui donner douze cents
livres d'avance, pour l'argenterie
qu'il doit employer à cet ouvrage.
Vous auriez la bonté de tirer de lui
un billet par lequel il reconnaîtrait
avoir reçu de *la M^me marquise du
Châtelet douze cents livres
d'avance, pour un nécessaire qu'il
doit livrer incessamment.* Si vous y
allez vous-même, je vous prierai de
le presser de faire achever le
nécessaire sans délai. Pour trouver

ces douze cents livres, il conviendra
vendre une action. » À plusieurs
reprises Voltaire s'inquiétera de
ce nécessaire.

### 65
**Pots à fard de la manufacture
de Saint-Cloud**
XVIII^e siècle
Paris, musée du Louvre, département
des Objets d'art, OA 8035-8036

Comme toutes les dames de la cour
en cette première moitié du
XVIII^e siècle, M^me Du Châtelet use
de fards. Sa correspondance
mentionne un envoi d'Italie par
le père Jacquier de « poudre de
Ouakaka », et Voltaire demande
à Moussinot « d'envoyer quelqu'un
chez un parfumeur nommé Provost,
*au Signe des parfums*, rue Saint-
Antoine. [...] Qu'on achète chez lui
un énorme pot de pâte, telle qu'il
en fournit à M^me la marquise du
Châtelet. Mais, au nom de Dieu,
qu'on n'aille point ailleurs que chez
ce Provost ! »

### 66
**Coffret à parfums de Dulac**
XVIII^e siècle, 13 × 14 cm
Grasse, Musée international
de la parfumerie

Ce coffret à parfums en
marqueterie gainée de soie rose
contient quatre flacons à parfum
en cristal taillé à monture en argent,
un petit entonnoir d'argent et une
assiette en porcelaine à bord doré
dentelé portant la marque bleue de
Vincennes. Sur chaque flacon est
apposée une étiquette : « Dulac,
parfumeur au buste d'or, Rue Saint-
Honoré, près de l'Oratoire, n° 141
à Paris ». Contemporain de Fargeon,
Houbigant et Lubin, Jean-Baptiste
Dulac était réputé pour ses gants,
parfums et autres objets de
première qualité.
À sa mort, M^me Du Châtelet devait
180 livres au parfumeur Dulac sur
mémoires de fournitures des 6 et
21 juin 1749. **M. F. G.**
(Non exposé)

66

## Les plaisirs de Cirey

67

### 68
Jean-Baptiste Joseph Pater
(1695-1736)
*Les Délassements de la campagne*
Huile sur toile, 75,5 × 100 cm
Valenciennes, musée des Beaux-Arts,
P. 46.1.272

Dès son premier séjour à Cirey,
Voltaire, à ses frais, se consacra
avec ardeur à la rénovation du
château, alors très délabré.
Il fit construire une longue galerie
dont la porte sculptée présente les
attributs des arts et des sciences
et, avec l'aide de Mme Du Châtelet,
transforma le lieu en « paradis
terrestre. » À maintes reprises
il a célébré en vers les charmes
du « désert » de Cirey, comme dans
cet « Impromptu fait dans les jardins
de Cirey en se promenant au clair
de la lune » :

*Astre brillant, favorable aux amants,*
*Porte ici tous les traits de ta douce*
*lumière :*
*Tu ne peux éclairer, dans ta vaste*
*carrière,*
*Deux cœurs plus amoureux,*
*plus tendres, plus constants.*

L'abbé Le Blanc rapporte
narquoisement à Bouhier
les folles pratiques du couple
durant la visite de Villefort à Cirey
en novembre 1736 : « Le lendemain
Vénus et Adonis dans un char et
l'étranger [Villefort] à cheval furent
manger des côtelettes au coin
d'un bois, et toujours les livres
en laisse suivant. »
La marquise faisait de longues
promenades à cheval sur
sa jument L'Hirondelle, tandis que
Voltaire chassait le chevreuil dans
les bois de Cirey. Il avait commandé
à l'abbé Moussinot tout un
équipage de chasse : « une jolie
gibecière avec ses appartenances,
marteau d'armes, tirebour » (lettre
de Voltaire à l'abbé Moussinot,
23 juin 1737).

### 67
**Madame de Graffigny**
Huile sur toile, 80,5 × 55 cm
Nancy, Musée historique lorrain,
inv. 95-453.

Mme de Graffigny, née Françoise
d'Issembourg d'Happoncourt
(1695-1758), séjourna à Cirey de
décembre 1738 à mars 1739. Elle en
a décrit la vie et le décor d'une façon
très détaillée dans ses lettres à son
ami Devaux qui furent éditées dès
1820. Plus tard à Paris, elle se fit une
réputation littéraire grâce à quelques
pièces de théâtre et surtout aux
*Lettres péruviennes* (1747).
Ce portrait d'une dame ronde avec
un bonnet a toujours été considéré
comme celui de Mme de Graffigny.
Des recherches récentes tendent
toutefois à contester cette
identification.

71 a

71 b

71 c

69

Pierre Louis de Surugue (1720-1772)
*Le Plaisir de l'été*
1744
Gravure d'après Pater, 33 × 36,5 cm
BNF, Estampes et Photographie,
Db 17, folio

La « chambre des bains » de M<sup>me</sup>
Du Châtelet à Cirey et les habitudes
de celle-ci ont suscité l'admiration
ébahie de M<sup>me</sup> de Graffigny qui
raconte : « Il [Voltaire] nous a lu une
épître admirable *sur l'homme;* une
*sur l'égalité des conditions et sur les
plaisirs.* De plus l'*apologie de son
Mondain,* qui est charmante et qu'il
nous a débitée dans l'appartement
du bain pendant que M<sup>me</sup> du Châtelet
se baignait. Nous soupâmes ce jour-
là dans ce voluptueux appartement
à deux heures après minuit; nous
étions servis par ses femmes de
chambre et elle l'était par son fils,
qui, ce jour-là, s'était déguisé en
amour à cause du carnaval. »

70

Nicolas de Larmessin (1684-1753)
*Le Matin*
Gravure d'après Lancret,
32 × 36 cm
BNF, Estampes et Photographie,
Db 16 folio

La vie à Cirey est totalement libre,
mais le matin on se réunit pour
le café et on fait la chronique
mondaine et littéraire.

71

**Marionnettes vénitiennes**
a. Brighella
b. Abbé
c. Dame
d. Servante
e. Marquis
xviiie siècle
Marionnettes à fils en bois articulé
habillées à la mode vénitienne,
H. 0,25 cm
BNF, Arts du spectacle,
collection Guillot de Saix

Venues d'Italie, les marionnettes
faisaient partie des distractions
à la mode dans les milieux
aristocratiques. C'est un des passe-
temps favoris de Cirey.
M<sup>me</sup> de Graffigny raconte les
représentations données par Voltaire
qui prend l'accent savoyard : « Je sors
de marionnettes qui m'ont beaucoup
diverti; elles sont très bonnes;
on a joué la pièce où la femme de
Polichinelle croit faire mourir son
mari, en chantant *fagnana! fagnana!..*
C'était un plaisir ravissant d'entendre
Voltaire dire sérieusement que la
pièce est très bonne. » On joue aussi
*L'Enfant prodigue.*
M<sup>me</sup> Du Châtelet, dans le *Discours
sur le bonheur,* avoue son plaisir :
« Quelle est la raison pour laquelle
je ris plus que personne aux
marionnettes, si ce n'est parce
que je me prête plus qu'aucun autre
à l'illusion et qu'au bout d'un quart
d'heure je crois que c'est Polichinelle
qui parle ? »

**72**
*Les Petits Comédiens*
Gravure anonyme du XVIIIe siècle
22 × 17 cm
BNF, Arsenal, Est 200 (129)

« Nous avons à présent une salle
de comédie charmante ; nous avons
joué *Zaïre, L'Enfant prodigue* »,
écrit Mme Du Châtelet à Algarotti
le 10 janvier 1738. Mme de Graffigny
a raconté en détail la frénésie
théâtrale des habitants de Cirey.
On y joue des pièces de Voltaire,
des opéras. On fait des affiches,
on fait jouer les enfants de
la marquise, et même toute
la maisonnée.
Le théâtre, installé dans les
combles du château, a été conservé,
avec son rideau de scène et trois
décors.

**73**
Quatre plaques de lanternes
magiques
XVIIIe siècle
Contretypes, 5,5 × 24 cm
Cinémathèque française,
musée du Cinéma

« Après souper, il [Voltaire] nous
a montré la lanterne magique
avec des propos à mourir de rire.
Il a fourré la coterie le M. le duc
de Richelieu, l'histoire de l'abbé
Desfontaines, et toutes sortes
de contes, toujours sur le ton
savoyard. Non, il n'y avait rien
de si drôle ! Mais à force de
tripoter le goupillon de la lanterne,
qui était remplie d'esprit-de-vin,

il le renverse sur sa main, le feu
y prend, et la voilà enflammée.
Ah ! dame, il fallait voir comme
elle était belle ! mais ce qui n'est
pas beau, c'est qu'elle est brûlée.
Cela troubla un peu
le divertissement qu'il
recontinua un moment après. »
(Lettre de Mme de Graffigny,
11 décembre 1738.)
Ces scènes grotesques sont bien
représentatives de la production
du XVIIIe siècle.

**74**
Pierre Filloeul (1696 – après 1754)
a. *Le baiser donné*
b. *Le baiser rendu*
Gravures d'après Pater, 35 × 39 cm
BNF, Estampes et Photographie,
Db 17, folio

**75**
Nicolas de Larmessin (1684-1753)
*Les Oies de frère Philippe*
Gravure d'après Lancret, 32 × 36 cm
BNF, Estampes et Photographie,
Db 16, folio

« Tous les petits panneaux sont
remplis par des tableaux de Vateau.
Ce sont les cinq sens, et deux
contes de La Fontaine, le baiser
pris et rendu dont j'avais les deux
estampes, et les oies de frère
Philippe », écrit Mme de Graffigny
le 6 décembre 1738, décrivant
le décor de Cirey et confondant
quelque peu les peintres (il s'agit
de Pater et non de Watteau).

**76**
Lettre de l'abbé Le Blanc
au président Bouhier
19 novembre 1736
23 × 18 cm
BNF, Manuscrits, Fr 24412, f. 576-577

Les visiteurs racontèrent à plusieurs
reprises la vie surprenante des deux
ermites de Cirey en s'émerveillant
du luxe – bien dans l'esprit du
*Mondain* de Voltaire – qui y régnait
et comme dans cette lettre, en se
moquant des diamants, de la parure
et des prétentions intellectuelles
de « la divinité de ce lieu ». On voit
l'intérêt que portait la société
à ce mode de vie extraordinaire.
De même, Mme Denis écrit
le 10 mai 1738 : « Ils sont dans
une solitude effrayante pour
l'humanité…, abandonnés de tous
leurs amis. » Le président Hénault,
dans une lettre au comte
d'Argenson du 9 juillet 1744 donne
une description tout aussi étonnée
de la solitude et du luxe de Cirey.

# Le goût d'une femme de son temps
Bertrand Rondot

Le portrait d'Émilie Du Châtelet «est au-dessus de la glace de la cheminée de la galerie avec tous ses attribus, des livres, des compas, un peroquest, des ponpons, de la musique, des diaments, des instruments de mathématique. Cela est charmant[1]». C'est toute la personnalité de M^me Du Châtelet qui semble résumée dans ce tableau aperçu par M^me de Graffigny à Cirey, personnalité complexe et paradoxale d'une aristocrate férue de sciences, d'une femme savante sensible à la mode, d'une collectionneuse passionnée et versatile.

M^me Du Châtelet n'a laissé que peu d'indications sur ses goûts dans ses écrits et l'on serait en peine d'en chercher la marque dans les résidences qu'elle occupa, trop transformées par la suite, comme le château de Cirey, ou disparues, comme ses demeures parisiennes successives. Mais quelques mentions dans sa correspondance, les témoignages de ses contemporains et les inventaires dressés de son hôtel à Paris et de ses biens à Lunéville[2] permettent d'ébaucher le portrait d'une femme qui savait échapper à la «mécanique des mondes» et suivre son siècle.

De sa jeunesse au sein d'une riche famille de magistrats, Gabrielle Émilie Le Tonnelier de Breteuil garde le souvenir émerveillé de la demeure, place Royale, que son père Louis Nicolas, introducteur des ambassadeurs et princes étrangers, avait mise au goût du jour avec faste afin de la rendre digne de son rang[3]. Rien de comparable dans l'héritage de son mari : par son mariage le 20 juin 1725 avec Florent-Claude Du Châtelet, la jeune femme de dix-neuf ans quitte le monde de la robe pour celui de la noblesse d'épée au prestige immense mais à la fortune moins assurée[4]. De cette situation paradoxale où l'élévation dans la société la conduit à l'abaissement dans l'aisance matérielle, Émilie, «qui veut être magnifique en dépit de la fortune[5]»,

* Je remercie Danielle Muzerelle pour son aide précieuse.

Les références bibliographiques abrégées (titre de l'ouvrage ou nom de l'auteur accompagnés de la date d'édition) renvoient à la bibliographie, p. 122.

1 Graffigny 1985, t. I, lettre 61. 2 Inventaires après décès : de Paris, Archives nationales, Minutier central, Inventaire, Rés. 511, éd. dans Voltaire 1968-1977, t. XI, appendice 93, p. 410-476; et de Lunéville, archives de Meurthe-et-Moselle, 10 B 411. 3 L'hôtel Dangeau avait été acheté en 1706, l'année même de la naissance d'Émilie, aux créanciers de la veuve d'Honoré Charles d'Albert, duc de Monfort (voir Breteuil 1992). 4 Dressant le portrait du père de Florent-Claude, Saint-Simon précise que «c'était un homme avec très peu de biens». 5 Du Deffand 1865.

cherche à s'échapper, et la richesse que son mari ne peut lui apporter, c'est Voltaire qui la lui procure en mettant ses importants revenus au service de sa maîtresse[6] : «C'est à lui qu'elle devra de vivre dans les siècles et, en attendant, elle lui doit ce qui fait vivre dans le siècle présent[7].»

La demeure familiale des Du Châtelet, aux confins de la Champagne et de la Lorraine, est la première résidence de la marquise où son goût peut véritablement s'exprimer grâce à la complicité de Voltaire et à la compréhension de son mari[8]. De cette retraite forcée, les deux amants font une résidence admirée par ceux qui ont le privilège d'y séjourner, célèbre pour son luxe, inattendu en une telle contrée. L'antique demeure «d'une architecture romanesque[9]» construite en 1641 est réaménagée et une nouvelle aile édifiée en 1734 abrite l'appartement de Voltaire. Celui-ci livre quelques aperçus sur la beauté nouvelle de la maison et son raffinement – «des terrasses de cinquante pieds de large, des cours en balustrades, des appartements jaune et argent, des niches avec magots de Chine[10]» –, ainsi que sur l'astuce opiniâtre de la maîtresse de maison qui «trouve le secret de meubler Cirey avec rien[11]».

Mais il faut une résidence parisienne à la marquise. Comme nombre de familles d'ancienne noblesse, les Du Châtelet ne possèdent pas d'hôtel particulier à Paris, et lorsqu'il s'agira en 1738 d'y revenir, Émilie, «pour les soins qu'elle doit à sa famille», impose son choix : «la plus belle maison de Paris[12]», l'hôtel Lambert de Thorigny sur l'île Saint-Louis! La vente est signée le 31 mars 1739[13], mais il n'est pas certain qu'elle ait été effective, malgré le soutien financier de Voltaire qui écrit, philosophe : «Cet hôtel a toujours eu pour moi le charme d'un château en Espagne car je ne l'ai habité que de loin[14].»

La demeure dans laquelle les Du Châtelet s'installent finalement en 1745 rue Traversière, paroisse Saint-Roch, est beaucoup plus modeste. Nous n'en saurions pas plus de cette résidence, leur premier réel pied-à-terre parisien, sans l'inventaire qui en fut dressé en 1749, car la marquise n'en fait plus mention dans ses missives. La «grande maison à porte cochère[15]», située rue Traversière (ou Traversine, aujourd'hui rue Molière) «près la fontaine de Richelieu[16]», est louée 2 200 livres par an[17]. Abandonnant le monde hors du temps de l'île Saint-Louis, les Du Châtelet – et Voltaire à qui est réservé le

**6** Il dispose de 80 000 livres de rente alors que le marquis Du Châtelet ne disposera à partir de sa nomination à la tête des troupes de Lorraine et Barrois en 1748 que de 12 000 livres de pension annuelle, auxquelles s'ajoutent les revenus des propriétés forestières autour de Cirey. **7** Du Deffand 1865. **8** Saget 1993. **9** Voltaire 1968-1977, t. IX, lettre du président Hénault au comte d'Argenson, p. 136. **10** *Ibid.*, t. IV, lettre de Voltaire à Thiériot, p. 93. **11** *Ibid.*, t. III, lettre de Voltaire à M^me de Champbonin, p. 71-72. **12** *Lettres de la marquise Du Châtelet* 1958, t. I, lettre 153, à Thiériot. **13** La demeure appartenait alors au fermier général Claude Dupin dont la seconde épouse tenait salon. **14** La demeure appartint ensuite à Martin de La Haye. **15** Elle appartenait à Claude Frédéric Le Bègue de Marjainville, prêtre docteur en Sorbonne, abbé de Morigny, conseiller du Roi en sa cour de Parlement et Grand Chambre. Voir Voltaire 1968-1977, t. XI, appendice 92, p. 409. **16** *Lettres de la marquise Du Châtelet* 1958, t. II, lettre 373, à Saint-Lambert.

deuxième étage – s'installent dans le quartier de la finance – la place Vendôme n'est pas loin – et de l'esprit, à proximité de la grande maison de M^me Geoffrin, rue Saint-Honoré. Émilie se rapproche également des d'Argental dont l'amitié lui est si nécessaire, qui habitent rue Saint-Honoré « vis à vis la rue de la Sourdière[18] ». Cette installation, qui consacre le retour en grâce de Voltaire à la cour, ne saurait seule satisfaire la marquise Du Châtelet ; il convient en effet à toute personne bien née d'avoir une campagne à quelques lieues de la capitale, et la marquise va jeter son dévolu sur une propriété des bords de Seine à Argenteuil, près du prieuré Notre-Dame, qu'elle achète par l'entremise d'un prête-nom à l'automne 1748[19]. Ces trois maisons révèlent différentes facettes des goûts d'Émilie Du Châtelet, chaque résidence ayant sa personnalité : la demeure la plus traditionnelle est la résidence parisienne, habitée seulement lors de courts séjours, alors que le château de Cirey, réaménagé à grands frais, est plus recherché dans sa décoration et qu'à Argenteuil, dont les travaux sont inachevés au moment du décès de la marquise, semble privilégié un confort moderne de bon aloi.

L'aménagement de l'hôtel parisien est classique. L'appartement principal, situé au premier étage, s'ouvre par une antichambre qui fait office de salle à manger aux murs tendus de « tapisserie haute lisse à personnages[20] », meublée de huit chaises à la Reine couvertes de velours d'Utrecht gaufré. Le salon de compagnie est voué au cramoisi : tenture de damas rouge, mobilier en bois doré composé de huit fauteuils, deux chaises, un grand canapé et un écran à trois feuilles, couvert du même damas, que des housses de toile à carreaux protègent en temps normal[21]. Les rideaux sont de taffetas également cramoisi doublés de rideaux de toile. L'harmonie de la chambre, blanche et verte, est plus féminine : le lit à la duchesse s'orne d'un satin fond blanc brodé comme la tenture murale, et aux rideaux de taffetas vert répond une chaise longue garnie de damas de même couleur. La bibliothèque entresolée résume les trois couleurs de l'appartement : elle est tendue d'une satinade cramoisie associée à des rideaux de bazin blanc et les armoires à livres

**17** Située à l'angle de la rue du Clos-Georgeau, elle a disparu lors du percement de l'avenue de l'Opéra. **18** *Lettres de la marquise Du Châtelet* 1958, t. II, lettre 294 ; adresse de la lettre à d'Argental du 22 septembre 1742. **19** La maison appartenait à Antoine Joseph Gaudelet de Changy, écuyer avocat au Parlement. Le prête-nom est Marie Victoire de Saire de Thil : un écrit en date du 14 janvier 1748 signé de la marquise Du Châtelet contient « reconnaissance que ce n'était que pour lui faire plaisir que lad. dlle de Thil avoit acquis lad. maison scise à Argenteuil » (Voltaire 1968-1977, t. XI, appendice 93, p. 459). **20** Prisée 100 livres. D'autres tapisseries de haute lisse à personnages, désassorties, se retrouvent dans d'autres pièces de l'hôtel. **21** Mais il ne s'agit là que d'une partie du décor car un autre meuble est conservé en réserve : « [...] dans une armoire étant dans la dernière pièce dudit second appartement : deux portières en damas cramoisi [du même meuble ?] et douze aulnes de cours de toile peinte servants [*sic*] de tapisserie doublée de toile blanche les dessus de huit fauteuils et un canapé de bazin blanc brodé en soie prisé 120 livres ». C'est selon toute vraisemblance le meuble d'été.

grillées sont garnies de taffetas vert. N'est-ce pas tenir son rang d'ancienne noblesse que de refuser les couleurs les plus osées au profit d'harmonies plus traditionnelles où dominent le rouge et le vert ?

L'esprit qui avait présidé aux aménagements de Cirey est tout autre. C'est aux visiteurs de s'extasier sur la beauté et le luxe du lieu : quoique composé de petites pièces, l'appartement de Voltaire est agrémenté d'une galerie « boisée et vernie en petit jaune [22] » ; la chambre de l'appartement de la marquise, au lit de moiré bleu, est « boisée en vernis petit jaune et les cordons bleu pasle, une niche de même encadrée de papiers des Indes […] et tout est naturellement assortis [sic] que jusqu'aux paniers de chien tout est jaune et bleu [23] ». Raffinement rare, les bordures des glaces ne sont pas dorées mais argentées. Le lambris du boudoir est bleu alors que la garde-robe, « divine », est lambrissée en gris-de-lin. Le cadre des « années philosophiques [24] » a disparu en grande partie dès le XVIIIe siècle, mais l'œuvre de François Boucher semble en conserver l'écho ; c'est la même harmonie en jaune et bleu de plusieurs pièces de Cirey que le peintre révèle dans son tableau célèbre, *La Toilette*, peint en 1742 [25], et tous les détails que l'artiste s'est plu à rendre avec précision et saveur trouveraient leur pendant à Cirey : paravent tendu de papier de la Chine, petite table cabaret vernie en noir garnie d'un service en porcelaine… Émilie Du Châtelet est fière du travail accompli et des réactions qu'il provoque : « Je vous avoue que j'ai eu un grand plaisir à montrer ma maison au président et que j'ai bien joui de l'étonnement qu'elle lui a causé [26]. » Il est vrai qu'elle avait fait forte impression sur le président Hénault qui écrit à la suite de sa visite que « Cirey est une chose rare », avouant « que l'on croit rêver [27] ».

Mais ce que la châtelaine vante aux amis qu'elle souhaite attirer à « Cirey la Félicité », ce sont les bibliothèques et son « assez beau cabinet de physique, des télescopes, des quarts de cercle, des montagnes de dessus lesquelles on jouit d'un vaste horizon [28] ». Femme de science, elle se doit de collectionner les instruments scientifiques nécessaires à ses travaux et qui témoignent de ses aspirations. Elle s'entoure « d'instrumens de tous les genres, mathématiques, physiques, chimiques, astronomiques, mécaniques, etc. [29] », choisissant sans doute ses globes auprès de l'abbé Nollet et commandant aux meilleurs

**22** Graffigny 1985, t. I, lettre 61. **23** *Ibid.* **24** *Lettres de la marquise Du Châtelet* 1958, t. I, lettre 24 à Maupertuis. **25** Cette œuvre, achetée par le comte Carl Gustav Tessin la même année, figure aujourd'hui dans les collections du musée Thyssen-Bornemisza à Madrid. **26** *Lettres de la marquise Du Châtelet* 1958, t. II, lettre 326, à d'Argental. **27** Voltaire 1968-1977, t. IX, lettre du président Hénault au comte d'Argenson, p. 136. **28** Elle ne manque pas de vanter également le théâtre installé dans les combles. **29** Voltaire 1968-1977, t. IX, lettre du président Hénault au comte d'Argenson, p. 136.

fabricants de la capitale, comme le mécanicien Pagny[30], ou le fabricant d'instruments de mathématiques Jacques Baradelle, ingénieur du roi, installé quai de l'Horloge *A l'Observatoire*[31]; du reste elle ne se déplace pas sans un petit étui de mathématique désigné par le nom de ce fabricant, «un petit Baradelle d'or dans son étui de roussette verte avec sa plume et porte crayon d'or[32]». Ces instruments sont réunis à Cirey[33], dans la galerie de l'appartement de Voltaire, dans une armoire qui leur est réservée, sans qu'il soit aisé de faire la part entre ceux appartenant à la marquise et ceux acquis par Voltaire[34]. La création de ce cabinet scientifique remarquable dans les années 1730 annonce la multiplication des collections scientifiques et des laboratoires en France au cours de la décennie suivante. M^me Du Châtelet a joué, avec la complicité de Voltaire, un rôle pionnier en la matière[35]. La traductrice de Newton semble avoir marqué un intérêt particulier pour les pendules qui allient les perfectionnements des arts mécaniques à l'originalité des caisses. Est-ce en raison de leurs liens communs avec la Lorraine qu'elle s'adresse au jeune horloger Joseph Waltrin, né à Chatel-en-Lorraine et reçu maître à Paris en 1746[36], qui lui livre en mai 1749 pour près de 700 livres de fournitures[37]? Recherche-t-elle les derniers perfectionnements techniques ou les spécificités pratiques dans ces mécanismes d'horlogerie? À la fin de l'été 1745, elle n'avait pas hésité à correspondre longuement avec Johann Bernoulli, au risque de l'importuner, pour acquérir deux pendules «d'une certaine espèce [...] qu'on fait à Basle, où l'on voit l'heure en mettant une lumière derrière et dont le mouvement est tout à découvert[38]». Lorsqu'elle les reçoit au mois de décembre suivant, elle ne manque pas de se préoccuper de leur installation et s'inquiète notamment de savoir «s'il n'y a point d'inconvénient à les mettre sur une cheminée où il y a du feu»; elle souhaite en acquérir également une pour Cirey «en cas qu'il s'en fasse des sonnantes[39]». Elle renouvelle sa demande en février 1746 et insiste pour que cette pendule soit munie d'une petite lampe, regrettant que les deux premiers exemplaires reçus n'en comportent pas[40]. Peu de pendules garnissent son hôtel parisien; tout au plus relève-t-on dans sa chambre une «montre de cheminée dans son quartel posé sur son petit pied garny d'une petite figure en porcelaine

**30** *Ibid.*, t. XI, appendice 93, p. 470. Il est dû 42 livres pour un «instrument de mathématiques». Bien que le manuscrit soit clairement écrit, ne s'agit-il pas plus vraisemblablement d'Alexis Magny (1712-vers 1777)? **31** Daumas 1953, p. 380 *sqq.* Un étui semblable quoique plus tardif est conservé à Waddesdon Manor (Grandjean *et alii* 1975, n° 35, p. 76-81). **32** Archives nationales, Minutier central, Inventaire, Rés. 511, p. 25. **33** Seuls «deux petits globes montés sur leurs pieds», prisés 48 livres, figurent dans la maison d'Argenteuil. **34** Lorsque ce dernier devra quitter Cirey, au lendemain de la mort de la marquise, ce sont vingt grandes caisses d'instruments de physique qui quitteront le château (Lonchamp 1826). **35** Sur le développement des cabinets scientifiques, voir Ronfort 1989, p. 47-82. **36** Augarde 1996, p. 406. **37** Voltaire 1968-1977, t. XI, appendice 93, p. 470. **38** *Lettres de la marquise Du Châtelet* 1958, t. II, lettre 344, à Bernoulli. **39** *Ibid.*, lettre 349, à Bernoulli. **40** *Ibid.*, lettre 354, à Bernoulli: «Je ne sais si c'est une omission, mais il n'y en avait point aux deux que j'ai reçues.»

émaillé[41]», objet relevant plus du marchand mercier que de l'horloger mécanicien, et l'on doit croire que les pendules, comme les instruments scientifiques,
étaient destinées à la résidence champenoise.

Rue Traversine ne figurent que quelques objets de mécanique, plus curieux
que scientifiques, comme ce «tableau mouvant garny de ses ressorts dans sa
bordure de bois sculpté doré garny de sa glace», accroché dans la chambre
d'Émilie[42]. Ornements des grands cabinets scientifiques ou des collections les
plus raffinées, de tels tableaux mécaniques avaient figuré dans le cabinet alors
le plus célèbre de Paris – celui de Joseph Bonnier de La Mosson, catalogué
en 1744 et dispersé l'année suivante –, et leurs mouvements saccadés sauront
séduire la marquise de Pompadour. À Rouen, Émilie s'enquiert auprès de
Pierre Robert Le Cornier de Cideville de l'adresse où l'on trouve «des espèces
de petites curiosités où il y a tout plein de petites figures de cire qu'on fait
mouvoir par derrière par une manivelle», et elle révèle sa passion de collectionneuse : «Je me meurs d'envie d'en avoir une si cela est possible[43]».

À laquelle de ses résidences était destiné le serin artificiel que lui a fourni
le facteur d'orgues Robert Richard, mécanicien à la Bibliothèque du roi et
chargé de l'entretien des machines de l'Académie des sciences[44] ? Ce goût
pour la mécanique peut être mis au service de soucis domestiques, comme
le note le chevalier de Villefort lors de sa visite à Cirey en 1736 : «La salle
à manger n'est pas moins étrange : pas de domestiques. Deux passe-plats
à tourniquet, l'un pour servir, l'autre pour desservir[45].» Lointains échos des
tables volantes de Louis XV à Choisy !

Mais plus que les sciences qui tiennent son esprit, ce sont les magots qui tiennent ses intérieurs ! Mme Du Châtelet s'est prise d'une véritable passion pour
ces figures d'un Orient souvent imaginaire dont la mode fait alors fureur
à Paris[46] : on relève près d'une cinquantaine de pagodes dans ses résidences
de Paris et d'Argenteuil, alors qu'à Cirey «des choses infinies dans ce gout-
la» ornent les appartements du château, «marabous» en nombre, parmi
lesquels «une pendule soutenue par des maraboux, d'une forme singulière[47]».
Ces pagodes et magots sont de toutes matières et de toutes formes. Les plus
nombreux viennent de Chine, des panthéons bouddhique et taoïste pour la
plupart, telles les «deux figures de la Chine représentant des Capucins dits

41 Prisée 150 livres. Archives nationales, Minutier central, Inventaire, Rés. 511, p. 12. 42 Prisé
120 livres. Voltaire 1968-1977, t. XI, appendice 93, p. 419. 43 *Lettres de la marquise Du Châtelet*
1958, t. II, lettre 341, à Cideville. 44 Voltaire 1968-1977, t. XI, appendice 93, p. 471. Le fabricant
demande verbalement 96 livres pour restant du prix de cet automate. Un oranger à oiseau
chanteur, daté de 1757, est peut-être proche de cet objet, reproduit dans Augarde 1996, p. 224,
fig. 181. 45 Voltaire 1968-1977, t. IV, p. 124-125, lettre de l'abbé Le Blanc à Bouhier. 46 Kisluk-
Grosheide 2002, p. 177-197. 47 Graffigny 1985, t. I, lettre 61.

*Couple d'amoureux à la cage*
*(Voir notice n° 85 a)*

Bonzes de la Chine», et sous la dénomination de «pagotte en hauteur de porcelaine blanche» il faut reconnaître une de ces déesses Guanyin réalisées en blanc de Chine, provenant de Dehua, alors que sous celle de «pagodes de terre des Indes» se cachent des figurines en grès chinois. Elles ont parfois été agrémentées de montures parisiennes en bronze ornées de fleurs d'émail ou de porcelaine, comme ces «quatre figures chinoises sur un même pied de marqueterie avec branchage de cuivre et fleurs d'émaux», ou ces «deux pagodes sur leurs terrasses de bronze en couleur avec branchage de fleurs d'émail[48]», ou encore ce «pot pourri de verni de la Chine monté sur une terrasse de bronze doré à branchages et fleurs d'émaux avec une pagotte de porcelaine jouant de la vieille [*sic*]». Certaines sont décrites «branlantes», c'est-à-dire que la tête est maintenue sur un pivot et se meut à la moindre impulsion[49]. Aux pièces chinoises – et éventuellement japonaises, la distinction étant rarement faite dans les inventaires – se mêlent des pièces européennes en porcelaine de Chantilly, terre d'Angleterre, faïence et bois sculpté.

**48** Les montures sont décrites en bronze en couleur, c'est-à-dire verni et non pas doré au mercure, indiquant des produits de moindre coût.  **49** Pour un modèle en porcelaine de Chantilly, voir Rondot 1999, p. 228, fig. 175.

Ces pagodes se répartissent dans l'ensemble de la maison parisienne, dans l'antichambre de l'appartement principal où «deux pagodes en hauteuses [en hotteuses] en terre d'Angleterre [50]» servent de bouquetières, dans le salon de compagnie, sur les armoires du cabinet de bibliothèque, ainsi que dans la chambre où elles sont conservées à l'intérieur d'une armoire.

La collection est fameuse à Paris et n'a rien à envier à l'une des plus célèbres alors, celle d'Angran de Fonspertuis, dispersée en 1748 [51], qui ne renfermait pas loin de soixante-dix pagodes. Cette passion pour les magots n'est pas du goût des philosophes, tel Diderot qui raille ces «colifichets prétieux dont la nation s'est entêtée : ils ont chassé de nos appartements des ornements d'un goût beaucoup meilleur. Ce règne est celui des magots [52]». Mais leurs piques n'atteignent pas la marquise. C'est le cardinal de Bernis, invité rue Traversière, qui résume le mieux cette passion envahissante : «Je ne veux pas laisser croire à la postérité que la marquise du Châtelet, tant chantée par Voltaire, qui commentait Newton et Leibnitz, fût un grave personnage ; je l'ai vue occupée, des heures entières, à ordonner les ajustements d'une robe, et à mettre en mouvement une armée de pagodes, dont son appartement était couvert [53].»

À ces figures d'un Extrême-Orient de fantaisie répondait tout un monde de petites sculptures proprement européen, issu principalement de la manufacture de Meissen. Les porcelaines les plus recherchées à travers toute l'Europe sont alors les porcelaines de Saxe, et Émilie Du Châtelet les a collectionnées en grand nombre. Beaucoup d'objets décoratifs parmi ces porcelaines : des animaux à profusion – perroquets, doguins et autres chiens, vaches, boucs et moutons, cochon d'Inde, et même un chat tenant une souris et «un serin de porcelaine de Saxe monté sur un tronc d'arbre dans une cage émaillé de différentes couleurs» – et des scènes galantes, œuvres spirituelles du sculpteur de la manufacture, Johann Joachim Kaendler, comme ce «groupe de deux figures dont une tient une cage» ou cette «figure faisant danser un chien».

À côté de ces pièces ornementales, la marquise possède des services en porcelaine de la manufacture saxonne dont un très important service de table conservé à Argenteuil, composé de «deux pots à hoil [oille] avec leurs plats, une écuelle et sa jatte, deux douzaines d'assiettes, dix plats de différentes grandeurs, deux saladiers, deux flambeaux montés sur des serins, quatre compotiers [54]» et des éléments de cabaret, à «cartouche et migniature». Elle utilisait notamment «un superbe déjeuner de porcelaine de Saxe» que Voltaire lui avait offert, composé «d'une très grande tasse avec sa soucoupe, dont le

**50** Archives nationales, Minutier central, Inventaire, Rés. 511, p. 19. Le modèle a été créé par la manufacture de Chantilly et sera repris par nombre d'autres manufactures. **51** Vente Angran, Paris, 4 mars 1748. **52** Diderot, *Encyclopédie ou dictionnaire raisonné des sciences, des arts et des métiers*, Neuchâtel, 1765, t. XI, p. 746. **53** Bernis 1986, t. I, p. 98-101. **54** Archives nationales, Minutier central, Inventaire, Rés. 511, p. 36.

dedans était doré en plein, et le dehors orné d'un paysage avec quantités de figures très bien peintes, ce qui formait de charmants tableaux, tant pour l'élégance du dessin que pour la vivacité des couleurs». Malheureusement cet objet précieux fut victime d'une dispute entre les deux amants et Voltaire fit immédiatement acquérir chez le marchand bijoutier M. La Frenaye un autre déjeuner, le plus riche et le plus élégant choisi parmi six, qui lui «en coûta dix louis[55]»! Les porcelaines les plus précieuses sont conservées dans l'armoire du salon de compagnie et l'argenterie est resserrée dans l'armoire de la chambre à coucher «près de la cheminée» avec des objets précieux en laque ou en porcelaine montés en bronze doré.

Les porcelaines réunies par Émilie Du Châtelet sont révélatrices des modes parisiennes de la décennie 1740, qui mêlent porcelaines de Chine et du Japon, de Meissen et des nouvelles manufactures françaises. C'est une période charnière où la production de porcelaine française est dominée par la manufacture de Chantilly, fondée en 1730 par le duc de Bourbon. La marquise conserve ses nombreuses pièces en porcelaine de Chantilly dans l'armoire de la salle de compagnie, alors qu'elle ne possède que «deux petits goblets avec deux figures dedans de porcelaine de St Cloud», témoignage du déclin de cette manufacture fondée à la fin du XVIIe siècle[56]. Il n'existe en revanche chez elle aucune pièce en porcelaine de Vincennes. Cela ne doit pas étonner : la manufacture fondée en 1740 fut dans ses premières années essentiellement un laboratoire où le perfectionnement de la pâte passait avant le développement économique de la société et, après un premier privilège obtenu en 1745, ce n'est qu'en 1751 que la marquise de Pompadour, marquant ostensiblement son soutien à l'entreprise, allait en assurer le succès deux ans après la mort de la marquise Du Châtelet[57]. Chez la favorite, les vases de Sèvres remplaceront les magots qui avaient comblé la mathématicienne!

Les adresses que fréquente Mme Du Châtelet sont celles que se partagent la cour et la ville. Le marchand ébéniste Pierre Migeon, quatrième représentant d'une célèbre dynastie[58] et apprécié pour ses modèles à l'élégance discrète, lui fournit les meubles marquetés ou plaqués de bois de violette ou de palissandre, tel ce bureau de marqueterie «garni de ses ornements de cuivre doré et filets de cuivre», ou cette petite table également de marqueterie

---

**55** Longchamp 1826, p. 177-180. Faut-il l'identifier avec le «nécessaire de chagrin doublé de velours cramoisy composé d'une petite écuelle couverte avec sa soucoupe une theyere une boeste à sucre et une à thé un petit gobelet avec sa soucoupe un pot à sucre et une petite jatte le tout de porcelaine de Saxe fond petit jaune à cartouches et mignature deux petites cuillères à caffé de vermeil», prisé 80 livres à Argenteuil ? Voir Voltaire 1968-1977, t. XI, appendice 93. **56** Voltaire 1968-1977, t. XI, app. 93, p. 426. Sur la clientèle de la manufacture de Saint-Cloud, voir Rondot, 1999, p. 30-32. **57** Rochebrune 2002. **58** Mouquin 2001. Comme plusieurs membres de la famille de Breteuil, elle figure dans le livre-journal du marchand ébéniste et elle lui doit encore 177 livres au moment de son décès.

à fleurs, qui figurent dans le salon de compagnie de la résidence parisienne. En Champagne comme en Île-de-France, les petits meubles vernis envahissent ses appartements. À Cirey, bureau, encoignures et secrétaire en vernis bleu dans sa chambre, encoignures des frères Martin dans le boudoir dont le plafond a été peint et verni par un de leurs élèves[59], et piédestaux de «vernis des Indes»[60] dans la galerie. À Paris, des petits meubles avant tout pratiques : encoignures «de bois verny en rouge et filets noircy» dans la salle de compagnie, serre-papier «de bois verny façon de la Chine» et deux tablettes de bois verni en rouge avec deux petites estampes en forme d'éventail dans la chambre, deux autres petites encoignures de bois verni en rouge à filets noirs dans la garde-robe[61]. Mais rares sont les meubles véritablement en laque, à l'exception des «encognures de laq admirable» dans l'appartement de Voltaire à Cirey, et qui vraisemblablement lui appartenaient[62]. Et point de pièce lambrissée de laque, au coût trop élevé pour l'impécunieuse marquise ; l'extraordinaire cabinet de laque rouge et or que son fils le comte Louis-Marie-Florent Du Châtelet installera dans son hôtel de la rue de Grenelle construit en 1770 par Mathurin Cherpitel[63] concrétisera, à la génération suivante, un rêve qu'elle dut maintes fois caresser. Le commerce de ces objets de grand prix est presque exclusivement aux mains du marchand mercier Lazare Duvaux, et c'est par son entremise que la marquise de Pompadour réunira certains de ses plus beaux meubles à panneaux de laque de Chine et du Japon[64]. Émilie Du Châtelet fréquente toutefois son élégante boutique, rue de la Monnaie près de Saint-Germain-l'Auxerrois. Ainsi lui fait-elle remettre en mars 1749 la somme de 592 livres «pour solde de son dernier arrêté», réglant ses dernières factures dont celle pour «la garniture d'un huilier en bronze ciselé et doré d'or moulu». On aimerait savoir ce qu'avait pu lui vendre le célèbre marchand depuis le début de son activité, alors que seul le second registre de son livre-journal commencé le 16 septembre 1748, quelques mois seulement avant la mort de la marquise, est conservé[65]. Il a pu lui fournir les innombrables porcelaines et magots, les unes et les autres souvent enrichis par ses soins de montures de bronze doré. Et c'est donc Voltaire qui apporte au couple les plus beaux meubles, de laque et autres, comme cette commode «de Boulle», achetée 500 livres[66], qui orne l'appartement de la marquise.

**59** Ce travail long et fastidieux, même sur une surface réduite, a nécessité la présence du peintre-vernisseur pendant trois ans à Cirey! Voir Graffigny 1985, t. I, lettre 61 ; sur les frères Martin, vernisseurs, voir Wolvesperges 2000. **60** Graffigny 1985, t. I, lettre 61. **61** Archives nationales, Minutier central, Inventaire, Rés. 511, p. 12 et Voltaire 1968-1977, t. XI, appendice 93, p. 419-421. **62** Graffigny 1985, t. I, lettre 61. **63** Les panneaux sont conservés au musée des Arts décoratifs à Paris, le mobilier au château de Compiègne et au Mobilier national à Paris ; voir Ledoux-Lebard 1968, et Badetz 1991. **64** Rondot 2002, p. 315-325. **65** Courajod 1873. **66** Voltaire 1968-1977, t. XI, lettre à M$^{me}$ de Montrevel, p. 197-198.

L'image de femme de science qu'Émilie Du Châtelet veut avant tout léguer à la postérité ne la pousse pas, outre ses moyens financiers limités, à s'affirmer comme un collectionneur d'art, et les quelques œuvres notables de sa collection semblent venir de sa famille. Ainsi, l'un des rares tableaux au sujet clairement identifié de l'inventaire de la rue Traversière, *Festin d'Henri IV*, est selon toute vraisemblance celui qui était placé dans la salle à manger de l'hôtel de Breteuil place Royale, alors que la petite figure de marbre couchée autrefois dans la chambre du baron de Breteuil semble se retrouver dans la grande salle de l'hôtel, « un amour de marbre blanc posé sur son pied en longueur », perdu au milieu de pagodes. Parmi les tableaux qu'elle a réunis – paysages, scènes animalières –, rares sont ceux qui retiennent l'attention comme celui représentant *Vénus fouettant l'amour*, prisé, avec deux dessus de porte représentant des paysages et des oiseaux, seulement 50 livres, ou ce « grand tableau peint sur toile représentant un amour dans sa bordure de bois sculpté ». Quant aux autres tableaux, leur estimation globale très médiocre les désigne comme des œuvres purement décoratives, qui n'ont vraisemblablement pas plus retenu l'attention des experts que celle de la marquise. Les Watteau qui avaient impressionné M$^{me}$ de Graffigny à Cirey cachent des œuvres de Nicolas Lancret et de Jean-Baptiste Joseph Pater, et M$^{me}$ Du Châtelet n'a sans doute jamais possédé le Véronèse qu'a cru y apercevoir l'épistolière[67].

La traductrice de Newton fréquente les savants, non les artistes, mais elle côtoie les portraitistes auxquels elle confie le soin de son image : Jean-Marc Nattier qui fait son portrait en 1743 – M$^{me}$ Geoffrin avait eu le sien en 1738 –, mais aussi Marianne Loir[68], ou encore le peintre lorrain Girard. Les graveurs en assurent la diffusion par l'estampe. Émilie envoie volontiers son portrait gravé, comme celui qu'elle promet à François Jacquier en novembre 1745[69], sans illusion sur une beauté qu'elle n'a jamais eue, et elle se préoccupe également de diffuser celui de Voltaire : elle en fait graver le portrait au pastel par l'entremise de Bonaventure Moussinot – elle souhaite également avoir la miniature pour la placer sur le chaton d'une bague – et commande des planches de différents formats, telles ces « trois in quarto et une in douze montées avec des bordures dorées[70] » destinées à être distribuées.

Mais plus que son image peinte, c'est son apparence en société qu'elle soigne : elle est toujours vêtue de toilettes coûteuses et couverte de bijoux. La passion de « Madame Pompon Newton » pour les pierres précieuses frappe ses

---

**67** Graffigny 1985, t. I, lettre 61 et notes. **68** *Jean-Marc Nattier, 1685-1766* (cat. exp.), Paris, RMN, 1999, p. 114, fig. 2 et *Stanislas, un roi de Pologne en Lorraine* (cat. exp.), Versailles, Arts Lys, 2004. **69** *Lettres de la marquise Du Châtelet*, 1958, t. II, lettre 347. **70** *Ibid.*, t. I, lettre 75. Treize estampes « représentant différents sujets dans leurs bordures de bois doré garnies de verre blanc » figurent dans les réserves de son hôtel parisien (Voltaire 1968-1977, t. XI, appendice 93, p. 423).

contemporains, et c'est telle «une divinité ornée et chargée de diamants» qu'elle apparaît en société, selon le chevalier de Villefort. Bijoux et «galanteries» révèlent aux yeux de tous et en tous lieux la femme à la mode : elle se ruine en tabatières et en navettes et plus encore en bijoux. M^me de Graffigny ne peut retenir son émotion, où perce la jalousie, à la vue du bijoutier de la marquise qui «est plus beau que celui de M^me de Richelieu»; elle en dresse l'inventaire de mémoire : «Quinze ou vingt [tabatières] d'or, de piere précieuses, de lac admirables, d'or emaillié qui est une nouvelle mode, qui doit être d'un prix excesifs; autant de navette de même espesse plus magnifique l'une que l'autre, des montres de jaspe avec des diamans; des étuis, des choses imense [...] des bagues de pieres rares, des berloque sans fin de toutes espesse [*sic*] [71]». Il s'agit bien d'achats de la marquise, sur une période relativement courte puisque Françoise de Graffigny précise en 1738 que quand Émilie «était à Craon, elle n'avait pas une tabatière d'écaille». Onze ans plus tard, en 1749, la collection s'est encore enrichie! Ce ne sont pas moins d'une quarantaine de tabatières, boîtes à mouches et étuis de porcelaine de Saxe, d'aventurine, agate, jaspe, écaille, nacre, cristal de roche, laque, composition et même caillou de Prusse (cadeau probable du prince héritier de Prusse) que l'élégante jeune femme possède. Tous ces objets la suivent dans ses pérégrinations, à l'exception d'un coffret «de bois de noyer à bandes de fer» – conservé dans l'appartement dont elle dispose au château de Versailles –, qui contient, outre des tabatières, «deux petites boîtes de nacre de perle avec des jettons d'avanturine, une petite tirelire de roussette verte, un fichet de cavagnole d'or avec son manche d'agatte dans son étui de roussette verte, six petits rouleaux pour mettre des louis d'yvoire et de bois de palissandre» prêts pour le jeu de la Reine [72]. Le reste est contenu dans «une cassette garnie de lames de cuivres de tous côtés», emportée à Lunéville où la marquise ne devait pas manquer d'impressionner la cour de Stanislas par son luxe très parisien. Ses objets précieux estimés à Lunéville se montent à 4 000 livres de Lorraine [73] alors que ceux rapportés après son décès à Paris sont évalués à près de 2 400 livres de Paris. Mais cela n'est rien en comparaison de ses bijoux, resserrés dans une «cassette de lac de la Chine» dont l'estimation dépasse les 26 000 livres – alors que l'orfèvrerie des Du Châtelet est estimée un peu plus de 5 800 livres de Paris! – et parmi lesquels devaient particulièrement briller «une paire de boucles d'oreilles garnies de boutons, son accompagnement et trois pendants» et «un nœud de diamants à quatre bouts fond de karra [carats, petits diamants?], les grosses pierres se raportant en toutes sortes de couleurs»; chaque ensemble est prisé 10 000 livres [74]! Émilie possède deux bracelets de

71 Graffigny 1985, t. I, lettre 61. 72 Voltaire 1968-1977, t. XI, appendice 93, p. 435-436. 73 10 livres de Lorraine valent 9 livres de France. 74 Archives de Meurthe-et-Moselle, Inventaire de Lunéville, 10 B 411.

perles à portraits garnis de diamants, fort à la mode au milieu du siècle, à l'instar de la dauphine Marie-Josèphe de Saxe ou de Mme de Pompadour. La liste est longue des bijoutiers parisiens qui la fournissent : L'Empereur, à qui reviendra en 1774 la tâche d'évaluer les diamants de la Couronne à l'avènement de Louis XVI[75] – et qui est créancier de plus de 11 750 livres ! –, Fayolle, Spote, Girost (place de l'École), La Vigne, ou Le Brun «pour raccommodage», Gillet, et le lapidaire Cheron. Mais c'est vraisemblablement à Thomas-Joachim Hébert, marchand-bijoutier, que les plus gros achats ont été faits puisqu'une rente perpétuelle au principal de 5 000 livres lui a été constituée.

De cette profusion d'objets précieux dont elle s'entoure, on pourrait retenir cette image, paradoxale en apparence : Émilie Du Châtelet faisant des nœuds à l'aide d'une «navette d'or émaillée avec deux plaques de cristal» extraite de son étui de galuchat vert[76]… La femme libre et savante n'en est pas moins intégrée dans son siècle, dont elle respecte les usages, manipulant avec dextérité cet instrument inventé «afin que les femmes, même dans un grand cercle, parussent occupées d'un petit ouvrage et qu'elles eussent le maintien qui convient[77]» !

**75** Morel 1988, p. 195. **76** Voltaire 1968-1977, t. XI, appendice 93, p. 431. **77** Madame de Genlis, «Ouvrages des mains», dans *Dictionnaire critique et raisonné des étiquettes de la cour, des usages… des Français, depuis la mort de Louis XIII jusqu'à nos jours, contenant le tableau de la cour, de la société et de la littérature du dix-huitième siècle, ou L'esprit des étiquettes et des usages anciens, comparés aux modernes*, Paris, M. Mongie aîné, 1818, t. II, p. 25.

Tasse et soucoupe
en porcelaine dure
de Meissen
*(Voir notice n° 84)*

77
Inventaire des biens de Gabrielle
Émilie Le Tonnelier de Breteuil
épouse de M. le Marquis
Du Châtelet, 7 octobre 1749
Paris, Archives nationales,
Minutier central, Rés 511

Dressé à Paris rue Traversière,
cet inventaire donne, complété
par celui fait à Lunéville, le reflet
des goûts de M^me Du Châtelet.
La liste des dettes considérables
de la marquise est particulièrement
instructive sur son mode de vie.

78
Serinette
XVIII^e siècle, 20,5 × 14 cm
Paris, Musée instrumental
du Conservatoire national supérieur
de musique, E. 221, C. 771

M^me Du Châtelet avait beaucoup
de goût pour la musique. Elle jouait
du clavecin et chantait, dit-on,
à ravir. Ce coffret en forme de livre
porte le titre : « L'art d'élever les
serins, / Tom. I et II » ; il joue deux
fois six airs. Il y avait à l'époque
un engouement pour apprendre
à siffler aux serins. On construisit
ces espèces de petits orgues
mécaniques à cylindres pour leur
enseigner les airs à la mode.
À sa mort, M^me Du Châtelet devait
96 livres à Richard pour une
serinette.

79
Pendule porte-montre
Paris, vers 1750
Porcelaine dure de Meissen ; porcelaine
tendre de Vincennes ; bronze ciselé
et doré ; cadran en acier inscrit
TYLER LONDON ;
H. 29 cm ; l. 22 cm ; P. 12 cm
Paris, musée des Arts décoratifs,
Inv. 31914

Sur la tablette de la cheminée de
la chambre de M^me Du Châtelet
figurait « une montre de cheminée
dans son quartel posé sur son petit
pied garni d'une petite figure en
porcelaine émaillé ». L'exemplaire
du musée des Arts décoratifs doit
en être proche ; il s'agit d'une
création caractéristique du travail

d'un marchand mercier associant
à une monture de bronze doré
une statuette de jeune berger
en porcelaine de Meissen et des
fleurs produites par la nouvelle
manufacture de Vincennes. B. R.

80
Étui à cire
Paris, vers 1750-1751
Or, L. 11,6 cm ; l. 2,2 cm ; ép. 2 cm
Poinçons de décharge des menus
ouvrages : une tête de poule
[1^er octobre 1750 – 1^er octobre 1756] ;
de maison commune K couronné
[1750-1751], de maître illisible ;
des ouvrages importés des pays non
contractants : une chouette [après 1893]
Paris, musée des Arts décoratifs,
Inv. 30494

Des deux étuis d'or « de forme
torce » dont M^me Du Châtelet ne
se séparait jamais et qui l'avaient
accompagnée au séjour de
Lunéville, celui à rouge était
indispensable à la femme élégante,
alors que le second, plus petit,
devait contenir la cire à cacheter
nécessaire à l'épistolière. Portait-il,
gravées sous sa base, les armes
de la marquise ? B. R.

81
Lanterne pliante
Paris, vers 1738-1744
Papier, monture en ivoire et argent
Poinçon de décharge des menus
ouvrages : une tête de renard
[1^er octobre 1738 – 1^er octobre 1744]
Paris, musée des Arts décoratifs,
Inv. 37258

Parmi les objets précieux resserrés
dans une « cassette garnie
de lames de cuivre » et qui
suivaient la marquise dans ses
pérégrinations, figure « une petite
lanterne de nacre de perle garnie
en or », sans doute proche de celle
du musée des Arts décoratifs.
Objet de tabletterie, il témoigne
du soin apporté par les artisans
parisiens à transformer les objets
les plus usuels en œuvres
luxueuses et charmantes,
et du souci de la marquise
de s'entourer des accessoires
les plus raffinés. B. R.

82
Tabatières

a. Boîte octogonale
Paris (?), vers 1730-1750
Cristal de roche, monture en or,
H. 3 cm ; L. 5,8 cm ; l. 5 cm
Paris, musée des Arts décoratifs,
Inv. 30514

b. Boîte ronde
Paris, vers 1744-1750
Ivoire, monture en or ; diam. 6,5 cm
Poinçon de décharge des menus
ouvrages : une tête de saumon
[1^er octobre 1744 – 1^er octobre 1750]
Paris, musée des Arts décoratifs,
Inv. 29996

L'ensemble de tabatières réunies
par M^me Du Châtelet en quelques
années faisait l'admiration de ses
contemporains : « Quinze ou vingt
d'or, de piere précieuses, de lac
admirables, d'or émaillé »,
s'enthousiasme M^me de Graffigny.
Parmi les plus raffinées figurent
deux tabatières en cristal de roche,
l'une montée à cage, l'autre « en
forme de baril » ; celles d'ivoire sont
plus modestes mais non moins
charmantes, comme celle « en
forme d'ognion d'yvoire à charnière
d'or », conservée dans un coffret
parmi d'autres à Versailles. B. R.

83
Tabatière
Paris, vers 1747-1748
Monture à cage en or, marqueterie
de nacre, burgau, coquillage, corail et or
H. 3,8 cm ; L. 8 cm ; P. 6,3 cm
Poinçon de charge : un bras (1744-1750) ;
de maison commune : G couronné
(1747-1748) ; de maître orfèvre G V L (?)
Paris, musée des Arts décoratifs,
Inv. 26631

À Lunéville, M^me Du Châtelet avait
emporté certaines de ses tabatières
les plus précieuses, notamment
deux tabatières de nacles [sic]
de perles garnies d'or », alors qu'elle
avait laissé dans sa résidence
parisienne une tabatière de Burgos
[sic] montée en cage et cercle d'or
de forme quarée ». Il s'agit sans
doute de tabatières réalisées en
marqueterie en relief de nacre et
de coquillage – dont le burgau –
rehaussées de corail, très prisées
à Paris dans les années 1740. B. R.

84

**Tasse et soucoupe**
Vers 1745-1750
Porcelaine dure de Meissen,
H. 7 cm; diam. 14 cm
Paris, musée des Arts décoratifs,
Inv. 12324 A et B

Parmi les derniers achats effectués
par M^me Du Châtelet auprès
des marchands merciers parisiens
devaient figurer les deux tasses
en porcelaine de Meissen
épousant la forme d'une tulipe.
Ces tasses se reconnaissent parmi
les biens de la marquise, conservées
pour l'une à Paris, « un gobelet avec
sa soucoupe en tulipe […] de
porcelaine de Saxe », dans l'armoire
du salon de compagnie, et l'autre
à Argenteuil « un goblet à anses avec
sa soucoupe en tulipe ». B. R.
*(Voir ill. p. 67)*

85

**Groupes en porcelaine de Meissen**
Vers 1740-1750

a. *Couple d'amoureux à la cage*
H. 13; l. 15 cm
Paris, musée des Arts décoratifs,
Inv. GR 314

b. *Scaramouche et Colombine*
H. 17; l. 8,5 cm
Paris, musée des Arts décoratifs,
Inv. 13176

Parmi les nombreux groupes en
porcelaine de Meissen que
possédait M^me Du Châtelet est
décrit, dans sa maison d'Argenteuil,
« un groupe de deux figures de Saxe
dont une tient une cage ».
Quoique relativement précise,
cette description ne permet pas
d'identifier avec certitude le modèle
puisque la manufacture de Meissen
produisit dans les années
1730-1740 au moins trois groupes
accompagnés d'une cage.
C'est le sculpteur attitré de
la manufacture depuis 1731,
Johann Joachim Kaendler
(1706-1775), qui en donna les
modèles. *Le Couple d'amoureux*
fut créé en 1736 et *Scaramouche
et Colombine* cinq ans plus tard,
époque où fut livré un troisième

groupe à la cage, *Le Mari
trompé.* B. R.
*(Voir ill. p. 61)*

86

**Animaux en porcelaine de Meissen**
Vers 1750

a. Carlin et son chiot
Monture en bronze doré, H. 17,5 cm
Paris, musée des Arts décoratifs,
Inv. 12889 B

b. Chèvre
H. 14 cm
Paris, musée des Arts décoratifs,
Inv. 21241

Au sein de la véritable ménagerie
de porcelaine – principalement de
la manufacture de Meissen – dont
M^me Du Châtelet s'est entourée
figurent quelques animaux
exotiques – singes, perroquets et
serin – mais surtout de paisibles
animaux de ferme – vaches, boucs,
chiens, mouton et cochon d'Inde –
ou de compagnie ; ainsi dans
l'armoire de sa chambre à Paris
sont conservés « un chien et une
chienne doguin avec un petit chien
tétant ». Le doguin ou carlin est,
avec le king-charles aux poils longs,
le chien à la mode à Paris sous
le règne de Louis XV. B. R.

87

**Navettes**

a. Navette en nacre
Allemagne, vers 1740-1750
Nacre incrustée de plaques d'or,
L. 9,7 cm; l. 3,8 cm ; H. 1,9 cm
Paris, musée des Arts décoratifs,
Inv. 29976

b. Navette en ivoire
Dieppe, vers 1740-1750
Ivoire, L. 13,2 cm ; l. 3,7 cm ; H. 2,5 cm
Paris, musée des Arts décoratifs,
Inv. 5357

c. Étui de navette
Paris, vers 1750
Galuchat vert, fermoirs en argent,
L. 15,4 cm; l. 5,3 cm ; H. 3,7 cm
Paris, musée des Arts décoratifs,
Inv. 29942

En femme élégante rompue
aux usages de son temps,
M^me Du Châtelet se devait de

posséder des navettes, « espèce
d'emblème qui exprimait l'aversion
que toute femme doit avoir pour
une oisiveté totale » (M^me de Genlis).
Parmi ses onze navettes dans
les matériaux les plus raffinés
– or émaillé, nacre et or,
aventurine, écaille blonde, « corne
d'Angleterre » –, la plus précieuse
de toute, « d'or émaillée avec deux
plaques de cristal », était conservée
dans un étui de roussette qui
en épousait la forme en amande.
Si la plupart étaient issues
des ateliers d'orfèvres, celles
en ivoire provenaient de Dieppe
où était pratiqué un délicat travail
de repercé connu sous le nom
de « genre mosaïque ». B. R.

88

**Magot avec pot-pourri**
Manufacture de Chantilly, vers 1735-1740
Porcelaine tendre
Sèvres, musée national de Céramique

La figure joviale et rondelette du
moine bouddhiste Pu-tai Ho-shang
fut particulièrement populaire en
Europe au XVIII^e siècle, et le terme
« putai » finit par désigner ces
figurines chez les collectionneurs
de magots. Produites en blanc de
Chine par les céramistes de Dehua,
la manufacture de Chantilly s'en
inspira avec fidélité, apportant une
polychromie chatoyante inconnue
des modèles chinois, et associant
souvent la figure à un récipient
faisant office de pot-pourri. B. R.

89

**Lettre de M^me Du Châtelet
à Cideville, 22 août 1745**
Rouen, archives de l'Académie des
sciences, belles-lettres et arts de Rouen,
C 31, f. 77-76

À plusieurs reprises on relève
dans la correspondance de
M^me Du Châtelet des mentions
montrant son intérêt pour des
objets d'art. Ainsi elle demande
des pendules à Bernoulli ou,
comme dans cette lettre,
s'intéresse aux tableaux animés.

## Une amoureuse

90

90
**Le maréchal de Richelieu**
École française du XVIIIe siècle
Huile sur toile, 1,10 × 0,90 cm
Paris, musée de l'Armée,
Inv. 01874 / Ea12/1

Courtisan préféré de Louis XV, le
maréchal de Richelieu (1696-1788),
membre des diverses académies,

ambassadeur, militaire brillant,
collectionneur, premier
gentilhomme de la Chambre
et éternel séducteur, rencontra
Mme Du Châtelet à son retour
de Vienne en 1729. Ils avaient
quelques liens de famille. Après une
courte liaison il deviendra pour elle
un ami fidèle et un vrai confident.

Elle l'invite particulièrement
à l'aider dans ses rapports avec
son mari et lui confie ses soucis
sentimentaux tout en lui faisant
la chronique mondaine. Grâce
à elle se consolide la vieille amitié
complice qui existait depuis leur
jeunesse au collège entre lui et
Voltaire.

Vue de l'intérieur du Jardin de Montjeu maison de Plaisance de M.ᵉ de S. Sargeau à Autun

91

91
Jean-Baptiste Lallemand
(1716 ? – 1803 ?)
**Trois dessins aquarellés
du château de Montjeu**
Fin XVIIIᵉ siècle, 46 × 31 cm
BNF, Estampes et Photographie,
Ve 26 p-fol, Destailleur t. 11, p. 165

Veuf depuis 1716, le maréchal
de Richelieu se remaria en
avril 1734 avec Élisabeth de Guise,
qui mourra en 1740 après avoir eu
deux enfants. C'est Voltaire et
Mᵐᵉ Du Châtelet qui ont eu l'idée
de ce mariage auquel ils vont
assister en avril 1734 au château
de Montjeu, près d'Autun,
« le plus beau lieu du monde »,
dit Mᵐᵉ Du Châtelet. Alors qu'ils
sont à Montjeu éclate l'affaire
des *Lettres anglaises*. Prévenu par
d'Argental, Voltaire s'enfuit à Cirey
où Émilie lui offre un asile. Les liens
entre Mᵐᵉ Du Châtelet, le duc et
la duchesse de Richelieu restèrent
très étroits. Elle logea chez eux
à plusieurs reprises et veilla la
duchesse malade jusqu'à sa mort.

92

mondains et surtout auprès de
M^me Du Châtelet qui, subjuguée,
ne cessera d'entretenir avec lui des
relations passionnelles, d'élève ou
d'amante, dont sa correspondance
donne maints exemples. Maupertuis
s'embarque le 2 mai 1736 pour
la Laponie afin de démontrer contre
les cartésiens que la Terre est
aplatie aux pôles. À son retour
en 1739, il se fait représenter par
Tournières en costume de Lapon,
aplatissant la Terre de la main.
Il en fait graver une estampe par
Daullé en 1741 avec un quatrain
de Voltaire, afin que l'image soit
largement diffusée, ce qui suscite
un tollé sur sa mégalomanie.
Nommé président de l'Académie de
Berlin en 1740, il se fixe à la cour du
roi de Prusse en 1745 et sa querelle
avec Koenig marque sa rupture avec
Voltaire. Il meurt en 1759.
Les notaires ont noté la présence de
cette gravure dans l'inventaire après
décès de M^me Du Châtelet.

93
*Le Profil du Mont Valérien*
Fin XVII^e siècle
Gravure anonyme, chez Joullain,
51 × 40,5 cm
BNF, Estampes et Photographie,
Va 92b folio, t. 10

« Vous êtes donc allé au Mont-
Valérien pour oublier tous les gens
qui vous aiment ? Vous revenez
à Paris sans que j'en sache rien. »
(Printemps 1735.)
Maupertuis et ses amis
mathématiciens aimaient à se
retirer au mont Valérien pour
travailler. M^me Du Châtelet viendra
l'y relancer à plusieurs reprises,
non sans susciter des médisances
par son comportement trop libre.

92
Jean Daullé (1703-1763)
**Pierre Louis Moreau de Maupertuis**
1741
Gravure d'après Tournières, 51 × 35,5 cm
BNF, Estampes et Photographie, N3

Né à Saint-Malo en 1698, officier,
mathématicien à la personnalité très

originale, séduisant et fantasque,
Maupertuis est reçu à l'Académie
des sciences en 1723 et, après un
séjour en Angleterre, entreprend de
répandre les théories de Newton.
Voltaire entre alors en contact avec
lui pour s'en faire expliquer les idées
et l'introduit dans les milieux

94
**Lettres de M^me Du Châtelet
à Maupertuis**
1734-1735
BNF, Manuscrits, Fr 12269, f. 34, 37-38,
42-43

Séduite dès leur première rencontre,
M^me Du Châtelet noua des relations

intimes avec Maupertuis qui, à plusieurs reprises, se déroba. Elle le harcèle de petits billets équivoques réclamant sa visite puis finit par renoncer. Dans une lettre à Richelieu vers juin 1735, elle admet enfin que « Maupertuis va au pôle mesurer la terre ; de son côté, il prétend qu'il ne veut point rester à Paris après moi. Il a une inquiétude dans l'esprit qui le rend bien malheureux, et qui prouve bien qu'il est plus nécessaire d'occuper son cœur que son esprit ; mais malheureusement, c'est qu'il est plus aisé de faire des calculs d'algèbre, que d'être amoureux. Je dis amoureux comme moi ».

**95**
**Lettres de dames à Maupertuis**
BNF, Manuscrits, NAF 10398, f. 60 v°-61

Charles Collé, dans son *Journal* (août 1759), accuse Maupertuis de

« se faire louer […] par des femmes de qualité auxquelles il persuada d'apprendre la géométrie, mode qui a duré pendant deux ou trois ans et à la tête de laquelle se mit madame d'Aiguillon ».
Ces quelque soixante-dix lettres d'admiratrices en témoignent : l'expédition au cercle polaire avait mis à la mode Maupertuis dans les salons. On rencontre la délicieuse duchesse de Saint-Pierre, la duchesse d'Aiguillon, l'extravagante duchesse de Chaulnes. Toutes montrent l'engouement des dames pour les géomètres et physiciens. Citons aussi M^me Du Deffand qui, le 18 avril 1746, lui parle de Voltaire et d'Émilie : « La bonne intelligence subsiste toujours dans le ménage, quoique le public veuille de temps en temps qu'il soit brouillé. » Le 21 novembre 1749 la duchesse d'Aiguillon commente la mort d'Émilie : « Voltaire, s'il a été affligé

est déjà consolé. Il s'occupe de son Catilina […]. Il a été à la Comédie tous les jours mais c'est comme un chanoine qui assiste au chœur. »

**96**
Pierre Louis Moreau de Maupertuis
*La Figure de la terre, déterminée par les observations de MM. de Maupertuis, Clairaut, Camus, Le Monnier, [...] et de M. l'abbé Outhier, [...] accompagnés de M. Celsius*
Paris, Imprimerie royale, 1738
Reliure aux armes de Marie-Sophie-Élisabeth de Lorraine-Guise, duchesse de Richelieu
BNF, Réserve des livres rares, Rés. P- V- 699

M^me Du Châtelet se montra fort jalouse des relations de Maupertuis et de la duchesse de Richelieu : « J'étais prête à vous pardonner votre silence, tous vos torts ; mais on m'a rapporté de terribles

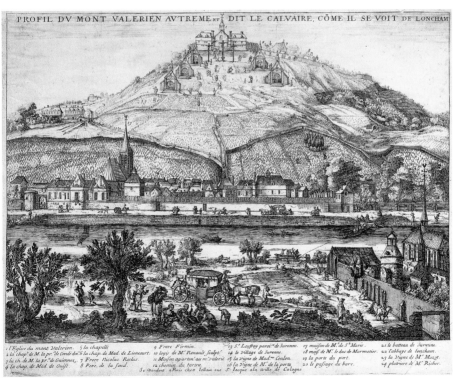

PROFIL DU MONT VALERIEN AVTREMENT DIT LE CALVAIRE, CÔME IL SE VOIT DE LONCHAM

nouvelles de Paris, où il est public
que vous m'avez quittée pour
madame la duchesse de Richelieu.
Elle s'en vante hautement.
Vous avez bien gagné ; votre
écolière est assurément plus
capable de vous faire honneur
et de profiter de vos leçons,
mais elle ne pourra en avoir plus
de reconnaissance que moi.
On dit même, on dit que vous
allez rendre ses leçons publiques,
comme M. de Cambrai les thèmes
de M. le duc de Bourgogne :
j'ai répondu à cela que, du moins,
j'en profiterais. J'espère que
madame de Richelieu se souviendra
que c'est moi qui lui ai procuré
votre connaissance. »
(17 juillet [1736].)

97

*Opuscules poétiques, ou le Plus
charmant des recueils, contenant
plusieurs pièces fugitives de
M. de Voltaire qui n'ont pas
encore vu le jour. Avec des
tablettes de papier nouveau pour
écrire tout ce que l'on désirera
avec une pointe quelconque,
même avec une épingle*
À Amsterdam et se vend à Paris, chez
Desnos, pour la présente année, [1773]
BNF, Réserve des livres rares,
Z Beuchot-63

Première édition de l'*Épître
à Madame la marquise du Châtelet,
sur sa liaison avec Maupertuis*,
où Voltaire accepte avec grâce
sa défaite amoureuse.
Après le départ de Voltaire pour
Cirey en avril 1734, M<sup>me</sup> Du Châtelet

hésita beaucoup entre ses deux
amants. Peut-être est-ce le départ
de Maupertuis pour Bâle qui
la décida enfin à rejoindre Voltaire
à Cirey en octobre.

98

Voltaire à quarante et un ans
Copie à l'huile du pastel de Maurice
Quentin de La Tour
Huile sur toile, 62 × 50 cm
Versailles, musée national du Château,
MV 6101

Le pastel original a dû être exécuté
à Paris en avril 1735, au moment où
Voltaire rencontre M<sup>me</sup> Du Châtelet.
En 1736, celui-ci demande
à Moussinot de lui en faire réaliser
des copies quoiqu'il ne se trouve
guère flatté. M<sup>me</sup> Du Châtelet
compose une devise pour
accompagner la gravure : *Post
genitis hic, carus erit, carus amicis.*
Voltaire en fait aussi faire une
version en miniature par Barier
pour l'offrir dans une bague
à M<sup>me</sup> Du Châtelet.

99

Mémoires pour servir
à la vie de M. de Voltaire,
écrits par lui-même
1759
Manuscrit original en partie autographe,
27 × 21 cm
BNF, Manuscrits, NAF, 13142

Voltaire commence ces « Mémoires »
en 1759 pour exprimer son
ressentiment à l'égard de
Frédéric II. Il les ouvre néanmoins,
de manière significative, par sa
rencontre avec Émilie et par leur
départ pour Cirey : « J'étais las de
la vie oisive et turbulente de Paris ;
de la foule des petits maîtres ; des
mauvais livres imprimés avec
approbation et privilège du Roi ;
des cabales des gens de Lettres,
des bassesses et du brigandage des
misérables qui déshonoraient
la littérature. Je trouvai en 1733 une
jeune dame qui pensait à peu près
comme moi et qui prit la résolution
d'aller passer plusieurs années à la
campagne pour y cultiver son esprit

LE COM<sup>TE</sup> D'ARGENTAL.

J. Defrasse, Del.                         J. B. Fosseyeux, Sculp 1788.

101

loin des tumultes du monde [...]»
La plus grande partie du manuscrit
est de la main de Wagnière,
le secrétaire de Voltaire. Il n'est
pas indifférent de noter que la
correction portée par l'auteur
au feuillet 6 – «mais on commence
aujourd'huy à ne plus s'embarrasser
de ce que Leibnits a pensé» –
concerne un point de désaccord
entre M^me Du Châtelet et lui. M. S.

### 100
**Lettre de Voltaire à Cideville,
3 juillet 1733**
Rouen, archives de l'Académie des
sciences, belles-lettres et arts de Rouen,
C 33, lettre 63

Pierre Robert Le Cornier
de Cideville (1693-1776), magistrat
rouennais lettré et mondain, avait
été le condisciple de Voltaire au
collège Louis-le-Grand et resta son
ami et confident intime. Il entretint
avec lui une correspondance suivie,
ainsi qu'avec M^me Du Châtelet
dès le début de leur liaison.
Il compose même pour elle
de petits poèmes flatteurs.
C'est dans cette lettre à son cher
ami Cideville que Voltaire, pour
la première fois, parle de la «divine
Émilie» : «Hier [...] je commençai
une *Épître* en vers *sur la Calomnie*,
dédiée à une femme très aimable
et très calomniée. Je veux vous
envoyer cela bientôt, en retour
de votre *Allégorie*.»

### 101
Jean Baptiste Fosseyeux
(1752-1824)
**Le comte d'Argental**
1788
Gravure d'après J. Defraine,
15,1 × 10,2 cm
BNF, Estampes et Photographie, N2

Charles-Augustin de Ferriol, comte
d'Argental, neveu de M^me de Tencin,
entra en 1707 avec son frère, le
comte de Pont-de-Veyle, au collège
Louis-le-Grand, où ils eurent pour
condisciple le jeune Arouet.
Ainsi commença une amitié
qui ne se démentit pas durant

soixante-dix ans. Avec sa femme,
M^lle Du Bouchet qu'il avait épousée
en 1737, ils sont les «anges»
de Voltaire. M^me Du Châtelet
devint aussi leur amie très proche.
Elle se confiait très intimement
au comte d'Argental sur ses
relations avec Voltaire.

### 102
*Élévation et perspective du portail
de l'église Saint-Gervais*
XVIII^e siècle
Dessin, 60 × 40 cm
BNF, Estampes et Photographie,
Ve 53c rés., t. III, n° 452

C'est dans son logement de la rue
du Long-Pont, où il s'installe
en quittant la demeure de
M^me de Fontaine-Martel, que

Voltaire reçoit pour la première fois
le joyeux trio formé par la duchesse
de Saint-Pierre, le comte
de Forcalquier son amant, et
M^me Du Châtelet. Il demeure, écrit-il
le 6 mai 1733, «vis-à-vis le seul ami
que *le Temple du Goût* m'ait fait,
vis-à-vis le portail Saint-Gervais».

### 103
Charles Joseph Natoire (1700-1777)
*Apothéose de Voltaire, dédiée
à Madame la Marquise du Chatelet*
Dessin à la mine de plomb, 66 × 47 cm
BNF, Estampes et Photographie, Hennin
n° 9675 format 5

Probablement exécuté au moment
du succès de *La Henriade*, ce
dessin, d'après Desnoiresterres,
aurait appartenu à M^me Du Châtelet.

103

104
Charles-Antoine Coypel (1694-1752)
**Madame de Graffigny**
Pastel, 89 × 75 cm
Collection particulière

Ce portrait si peu conforme à son iconographie habituelle serait, selon une tradition de famille, celui de M^me de Graffigny : il vient de sa nièce M^me Helvétius (Anne-Catherine de Lignville dite «Minette», 1720-1800). Les lettres de M^me de Graffigny à son ami Devaux, partiellement publiées dès 1820, sont un remarquable document sur la vie à Cirey, sur les relations entre Voltaire et son amie, et sur leur intense activité intellectuelle. Après la terrible scène du 29 décembre 1738 à propos de *La Pucelle*, qui précipita le départ de M^me de Graffigny, les deux dames se retrouvèrent à Paris chez la duchesse de Richelieu. La haine était bien installée et désormais M^me de Graffigny n'épargna rien à M^me Du Châtelet jusqu'à sa mort, l'appelant «Mégère», le «Monstre». Sa très abondante correspondance, en cours de publication, continue à nous apporter de nouvelles informations sur M^me Du Châtelet et sur son séjour à la cour de Lunéville.

105
Pierre François Guyot Desfontaines
*Observations sur les écrits
modernes [...]*
Paris, 1735
Tome III, p. 144, reliure aux armes
du duc de La Vallière
BNF, Arsenal, 8-H-26419

*Tranquille admirateur de votre astronomie, / Sous mon méridien, dans les champs de Cirey, / N'observant désormais que l'astre d'Émilie. / Échauffé par le feu de son puissant génie, / Et par sa lumière éclairé, / Sur ma lyre je chanterai / Son âme universelle autant qu'elle est unique ; / Et j'atteste les cieux, mesurés par vos mains, / Que j'abandonnerais pour ses charmes divins / L'équateur et le pôle arctique.*

Pierre François Guyot Desfontaines, littérateur et journaliste, avait été défendu par Voltaire pour une affaire de mœurs en 1724. En 1725, il avait même été tiré de la Bastille grâce à lui. Il fonda en 1735 un périodique, les *Observations sur les écrits modernes* (1735-1743). Ses démêlés avec Voltaire commencèrent en septembre 1735 par un compte-rendu très critique de *La Mort de César* mais surtout par la publication de cette *Épître à Algarotti*, texte compromettant pour M^me Du Châtelet. Devant tant d'ingratitude, elle s'impliqua totalement aux côtés de Voltaire dans la longue querelle qui s'ensuivit.
À Cirey elle essaya en vain de cacher à Voltaire la parution de *La Voltairomanie*.
Voltaire composa alors une comédie, *L'Envieux*, sur l'abbé Desfontaines, dont l'action se passait à Cirey. M^me Du Châtelet n'approuva pas cet ouvrage et parvint à lui faire abandonner l'idée d'une représentation.

106
**Lettre de M^me de Champbonin
à Thiériot, 16 janvier 1739**
BNF, Manuscrits, Fr 12900, f. 245-246

L'affaire Desfontaines avait mis en émoi toute la petite communauté de Cirey autour de M^me Du Châtelet. M^me de Champbonin faisait partie des fidèles de Cirey dont elle était voisine. Voltaire, qui lui écrivait très

familièrement, souhaita marier son fils à sa propre nièce, qui préféra M. Denis. Choquée des procédés de Thiériot, très impliqué dans l'affaire, M^me de Champbonin défendit vaillamment Voltaire et M^me Du Châtelet : « Croyez-moi, monsieur, encore une fois, madame du Châtelet est la femme de l'Europe la plus respectable et la plus ferme, et votre conduite dans cette affaire l'a outrée. Il n'y a ici que M. de Voltaire qui prenne votre parti ; nous lui avons tout caché, tant que nous avons pu. »

107
Voltaire
*La Pucelle d'Orléans*
1736
Copie manuscrite du milieu du XVIII^e siècle, 20,5 × 15,5 cm
BNF, Manuscrits, NAF 4716

Tout en entourant de mystère la composition de « sa Jeanne » écrite « dans le goût de l'Arioste », c'est-à-dire dans un registre fort libertin, Voltaire ne résistait pas à la tentation d'en lire des passages devant un nombre sans cesse croissant d'« amis » et d'en envoyer des extraits à ses divers correspondants, au premier rang desquels Frédéric II. Serviteurs, secrétaires, visiteurs de passage à Cirey, dont M^me de Graffigny, contribuèrent à ce pillage plus ou moins consenti dont les ennemis de Voltaire ne manquèrent pas de profiter. Et la multiplication de copies plus fautives et licencieuses les unes que les autres fit de *La Pucelle* l'exemple parfait du manuscrit clandestin. La circulation des copies commença dès 1745. Dix ans plus tard, d'après les journaux de l'époque, on en comptait plus de 6 000. **M. S.**

FRÉDÉRIC
Roi de Prusse et Electeur de Brandenbourg
109

108
Gabriel Jacques de Saint-Aubin (1724-1780)
*Le Rêve ou Voltaire composant La Pucelle*
Peinture sur une gravure de Ransonnette, 32,5 × 24,5 cm
Paris, musée du Louvre, département des Peintures, RF 2487

La circulation manuscrite de *La Pucelle* donna lieu à Cirey à une scène épouvantable entre M^me de Graffigny et Émilie en 1739. Dès mai 1735, la correspondance d'Émilie abonde en craintes sur la diffusion des copies et brouillons. Il semble bien que le poème fut écrit en grande partie à Cirey en 1734-1735. La *Correspondance littéraire* du 1^er avril 1756 prétend qu'il serait l'œuvre collective de trois dames écrivant sous la direction de Voltaire ; parmi elles, M^me Du Châtelet qui aurait écrit tout ce qui se rapporte à Dorothée.

109
Johann Georg Wolfgang (1662-1744)
**Frédéric roi de Prusse et électeur de Brandebourg**
1741
Gravure d'après Antoine Pesne, 38 × 28 cm
BNF, Estampes et Photographie, N2

Le 8 août 1736, le prince royal de Prusse écrivit sa première lettre à Voltaire. Dès cet instant, derrière les compliments dithyrambiques et les flagorneries mutuelles s'engage entre lui et M^me Du Châtelet une féroce lutte d'influence, et même d'affection, auprès de Voltaire. Frédéric multiplie les compliments envers la marquise, « Mille assurances d'estime à la divine Émilie, ma rivale dans votre cœur », écrit-il le 26 juin 1739, mais il déteste Émilie qui le lui rend bien. Ils ne se rencontreront jamais. En 1743, il est à l'origine de la grande crise sentimentale qui va bouleverser les relations entre Émilie et Voltaire.

**110**
Lettre de Voltaire à Cideville,
La Haye, 18 octobre 1740
Rouen, archives de l'Académie des
sciences, belles-lettres et arts de Rouen,
C 33, lettre 136

« C'est là que je vis un des plus
aimables hommes du monde,
un homme qui serait le charme
de la société, qu'on rechercherait
partout, s'il n'était pas roi ;
un philosophe sans austérité,
rempli de douceur, de complaisance,
d'agréments, ne se souvenant
plus qu'il est roi dès qu'il est
avec ses amis, et l'oubliant si
parfaitement qu'il me le faisait
presque oublier aussi, et qu'il me
fallait un effort de mémoire pour
me souvenir que je voyais assis
sur le pied de mon lit un souverain
qui avait une armée de cent mille
hommes. »

**111**
Lettre de M^me de Tencin,
21 octobre 1743
BNF, Manuscrits, NAF 14898, f. 298-299

« Elle part cette nuit plus folle,
plus perdue d'amour que tous les
romans ensemble. Il faut en avoir
pitié », écrit M^me de Tencin au
maréchal de Richelieu.
Désespérée de l'absence de Voltaire
parti pour la Prusse, M^me Du Châtelet
se confie surtout à d'Argental : « Que
de choses à lui reprocher ! et que
son cœur est loin du mien ! Mais,
puisqu'il se porte bien, je n'ai plus
de reproches à lui faire, et je suis
trop heureuse. » (10 octobre 1743.)
« Je ne reconnais plus celui d'où
dépend et mon mal et mon bien,
ni dans ses lettres, ni dans ses
démarches. Il est ivre absolument. »
(22 octobre 1743.)

**112**
Sébastien Longchamp
*Mémoires*
Manuscrit autographe, 20 × 14 cm
BNF, Manuscrits, NAF 13006

« Serviteur avisé, dépourvu de
préjugé » (R. Pomeau), Longchamp,

dont la sœur était la femme de
chambre de M^me Du Châtelet, fut,
quelques mois en 1746, au service
de cette dernière, avant de revenir
auprès de Voltaire en qualité
de secrétaire jusqu'en 1754.
Il se trouva donc étroitement mêlé
aux rebondissements de l'affaire
Saint-Lambert.
La célèbre « scène du bain » montre
que, pour une grande dame du
XVIII^e siècle, si « éclairée » fût-elle,
un domestique n'était pas un
homme (« elle ne se gênait pas
devant ses gens »), tant l'écart était
grand, alors comme aujourd'hui,
du discours au vécu.
Les souvenirs de Longchamp furent
utilisés par l'abbé Duvernet pour sa
*Vie de Voltaire* (1786) avant d'être
publiés, avec ceux de Wagnière, par
Beuchot en 1826. **M. S.**

**113**
Lettre de Voltaire à Cideville,
Bruxelles, 11 juillet 1741
Rouen, archives de l'Académie des
sciences, belles-lettres et arts de Rouen,
C 33, lettre 139

C'est dans cette lettre à son
ami Cideville qu'on trouve pour
la première fois les stances
désenchantées et mélancoliques
adressées à M^me Du Châtelet par
« un homme qui avait le malheur
d'avoir 47 ans », publiées en 1745,
si révélatrices sur l'évolution
des sentiments entre Voltaire
et M^me Du Châtelet :

*Si vous voulez que j'aime encore*
*Rendez-moi l'âge des amours ;*
*Au crépuscule de mes jours*
*Rejoignez, s'il se peut, l'aurore.*
*Des beaux lieux où le dieu du vin*
*Avec l'Amour tient son empire,*
*Le Temps, qui me prend par la main,*
*M'avertit que je me retire.*

**114**
François-Hubert Drouais
(1727 - 1775)
**Mademoiselle Gaussin**
Huile sur toile, 79 × 63 cm
Paris, Comédie-Française

M^lle Gaussin brilla dans *Zaïre*,
puis dans *Alzire*, en janvier 1736.
En 1744, la belle comédienne
d'« une mollesse voluptueuse »
suscita une brève passion
chez Voltaire, ce qui provoqua
la fureur de la marquise. Il finit par
se réconcilier avec cette dernière
et partit pour Cirey en avril 1744.

**115**
Gazetin quotidien du chevalier
de Mouhy, 30 mars 1744
BNF, Arsenal, Ms 10029, f. 129

« Le motif secret de ces mauvaises
humeurs respectives sont (*sic*)
occasionnées par la passion
de Voltaire pour la Gaussin […]
la marquise en est furieuse. »
Les rapports de police de Mouhy,
inégalement conservés, adressés
à Feydeau de Marville et destinés
à Maurepas donnent la chronique
scandaleuse de la société
mondaine.

**116**
Lettre de Voltaire à M^me Denis,
17 janvier 1738
BNF, Manuscrits, NAF 27363

La rivale la plus dangereuse pour
M^me Du Châtelet se révéla être
M^me Denis – Marie-Louise Mignot
(1712-1790), nièce de Voltaire,
mariée en février 1738 et veuve
en 1744. Ces 126 lettres inédites
de Voltaire (1737-1747) se situent
à un moment clé de leur relation.
Sa nièce est sa confidente
dès 1740 quand il se détache
peu à peu de la possessive Émilie.
Marmontel le dépeint las de la vie
trop mondaine que lui fait mener
la marquise Du Châtelet. Avant
même la mort de celle-ci, il
souhaita vivre avec M^me Denis
avec qui il noua des relations
très intimes vers la fin de 1745.
De son côté, Émilie exprime
son désenchantement dans
son *Discours sur le bonheur*.

114                                                                   117

### 117
**Saint-Lambert**
Portrait anonyme
Huile sur toile, 48 × 37 cm
Nancy, Musée lorrain

Jean-François de Saint-Lambert,
né à Nancy en 1716 et mort à Paris
en 1803, commença une carrière
militaire en Lorraine. Après la paix
d'Aix-la-Chapelle en 1748,
il s'attacha à la cour du roi
Stanislas. C'est là qu'il rencontra
la marquise Du Châtelet, qui se prit
d'une folle passion pour lui.
Après un premier moment de
colère, Voltaire, si l'on en croit
Longchamp, s'accommoda de la
situation et conserva son estime
au poète.
Après la mort de la marquise,
Saint-Lambert vint à Paris où
le bruit de son aventure le lança
dans le monde. Il inspira ensuite
à M^me d'Houdetot, aux dépens
de Jean-Jacques Rousseau,
une passion tout aussi intense.
Leur liaison dura jusqu'à sa mort.

### 118
**Lettre de M^me de Créquy
à Cideville, 20 octobre 1748**
Rouen, archives de l'Académie
des sciences, belles-lettres et
arts de Rouen, C 31

« La Du Ch. est toujours avec V.
en Lorraine se consolant des
mauvais succès de l'auteur par
les siens car outre qu'elle joue
tous les opéras du monde c'est
qu'elle a un petit ST Lambert
dont vous aves vu des vers qui
dit on désespère V. non par les
vers mais par les faits. Je ne scay
si cette nouvelle est certaine,
elle se débite. »

### 119
**Lettre de Saint-Lambert,
Nancy, 1^er avril [1749]**
Peut-être adressée à M^me Du Châtelet
BNF, Manuscrits, NAF 14898, f. 281-283

La postérité a été beaucoup moins
indulgente que Voltaire envers
Saint-Lambert. Vu à travers les
lettres que lui envoie
M^me Du Châtelet, il apparaît
lointain et peu concerné par les
conséquences de sa conduite.
On ne connaît que deux lettres
de lui que l'on suppose adressées
à la marquise. Cette lettre du
1^er avril [1749 ?], datée de Nancy,
où il se répand sur sa santé et
tutoie celle qu'il appelle « mon cher
amour », « mon cœur », peut-elle
suffire à défaire son image de
froideur et de distance ?

### 120
**Billet de M^me Du Châtelet
à Saint-Lambert, [juillet 1748]**
Collection particulière

Un des multiples billets
que M^me Du Châtelet écrit
à Saint-Lambert à Lunéville.
La majeure partie des lettres
conservées de M^me Du Châtelet
à Saint-Lambert se trouve dans
les collections de la Pierpont
Morgan Library à New York.

121

**121**

*Épître à Saint-Lambert*
Copie avec corrections autographes
BNF, Manuscrits, NAF 24342, f. 41-42

Beau joueur, Voltaire composa
une épître acceptant sa défaite :

*Mais je vois venir sur le soir,*
*Du plus haut de son aphélie,*
*Notre astronomique Émilie*
*Avec un vieux tablier noir,*
*Et la main d'encre encor salie*
*Elle a laissé là son compas,*
*Et ses calculs, et sa lunette.*

**122**

François-Bernard Lépicié
(1698-1755)
*L'Accouchée* (sic)
Gravure d'après Étienne Jeaurat,
38 × 28 cm
BNF, Estampes et Photographie,
Oa 22 (242), folio

La nouvelle de la grossesse d'Émilie
suscita bien des moqueries.
Mme de Graffigny et son ami Devaux
en sont le meilleur écho : « Ils me
firent encore rire de tout le conte
de la grossesse. On envoie toutes
les femmes stériles en pèlerinage
à St-Lambert. » (25 avril 1749.)
Devaux se moque cruellement :
« N'en est-elle pas honteuse à son
âge ! Que de propos on va tenir ! »
De son côté, dans un sombre
pressentiment, Mme Du Châtelet
était convaincue qu'elle ne
survivrait pas à son accouchement.

**123**

**Lettre de Voltaire au marquis
d'Argenson, 4 septembre 1749**
BNF, Manuscrits, Fr 12938, p. 320

Voltaire, soulagé après
l'accouchement facile d'Émilie,
annonça à tous leurs amis
d'un ton très badin :
« Mme Du Châtelet vous mande,
monsieur, que cette nuit étant
à son secrétaire, et griffonnant
quelque pancarte neutonienne,
elle a eu un petit besoin.
Ce petit besoin était une fille
qui a paru sur le champ.
On l'a étendue sur un livre
de géométrie in-quarto. »

**124**

**La mort d'Émilie**

a. *Élévation du portail
de l'église Saint-Rémy*
Planche XIV du *Recueil des plans,
élévations et coupes… des châteaux,
jardins et dépendances que le roy
de Pologne occupe en Lorraine […]*
Paris, ce (sic) vend à Paris chés
François Graveur de sa Majesté
Tome I, 64 × 50 cm
BNF, Estampes et Photographie,
Hc 23 folio

b. Lettre de Voltaire à d'Argental,
10 septembre 1749
BNF, Manuscrits, Fr 12936, p. 47

« Je vous avais mandé
le plus heureux et le plus
singulier accouchement.
Une mort affreuse l'a suivi. »

124 b

Mme Du Châtelet fut enterrée le 11 septembre dans l'église Saint-Jacques (précédemment Saint-Rémy) de Lunéville, sous une simple dalle de pierre noire.

**125**
**Lettre de Voltaire à Baculard d'Arnaud, 14 octobre 1749**
BNF, Arsenal, Ms 7571 (12)

Désespéré, Voltaire écrivit de nombreuses lettres à ses amis, dans des termes à peu près identiques, sur la perte de « son ami de vingt ans », « un très grand homme que les femmes ordinaires ne connaissaient que par ses diamants et le cavagnole ».

**126**
**Lettre de la marquise de Créquy à Cideville, 20 septembre 1749**
Rouen, archives de l'Académie des sciences, belles-lettres et arts de Rouen, C 31

« Mais mon cher ami parlons de Mde Du Chastellet. J'ai bien envie de recevoir une réponse de vous, elle s'est tuée en buvant de l'orgeat à la glace, à ce qu'on dit, elle en était bien capable, mais quelle perte pour Voltaire… il n'est plus d'âge à retrouver des complaisantes. » Mme Du Châtelet avait suscité beaucoup de haine, dont celle de Mme de Graffigny qui se montra féroce : « Mais la nouvelle brochant sur le tout de la mort du monstre est admirable, je ne m'en saurais cacher. J'en suis ravie et je sais le vrai bonheur de n'avoir plus une ennemie déclarée dans le monde. J'en remercie volontiers le Petit [Saint-Lambert]. » (Lettre du 14 septembre 1749 à Devaux.)

On pourrait également citer les mots haineux d'Alliot, l'intendant du roi Stanislas dans une lettre au comte de Sade.

**127**
*Chambre de Voltaire à Ferney*
Gravure anonyme coloriée, 16 × 18 cm
BNF, Estampes et Photographie, Va-1 (3), folio

Cette gravure représente la chambre de Voltaire avec le mausolée que le marquis de Villette y fit faire pour les visiteurs en pèlerinage. On y voit en bonne place le portrait de Mme Du Châtelet. Mme Suard, en visite à Ferney en 1775, atteste de la fidélité de Voltaire : « Il a à côté de son lit le portrait de Mme Du Châtelet dont il conserve le plus tendre souvenir. » Dans sa bibliothèque il conserva également les manuscrits de son amie, qui suivirent ses livres à Saint-Pétersbourg.

Chambre de Voltaire à Ferney.

127

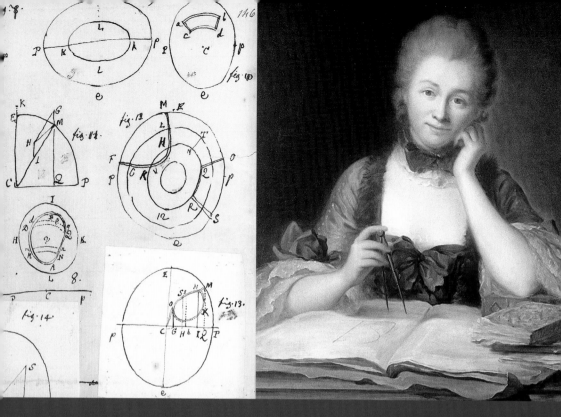

La femme de science

# Une intellectuelle hors pair

Elisabeth Badinter

Trois raisons expliquent ce parcours féminin sans pareil : les dons, l'ambition et le travail. M$^{me}$ Du Châtelet est aussi douée pour les langues que pour l'abstraction. Elle traduit le latin à livre ouvert et maîtrise suffisamment l'anglais pour traduire et commenter Mandeville. Elle n'aime rien tant qu'exercer sa raison sur les questions ardues qui touchent à la théologie, à la métaphysique et à la physique. Il s'agit moins là d'un agréable passe-temps que d'une impérieuse exigence de comprendre le monde et d'être utile à ses contemporains. Émilie est une ambitieuse[1], probablement agnostique, qui rêve de laisser une trace après sa mort. Très tôt, elle prend conscience que le désir de gloire, qu'elle assimile au bonheur[2], ne trouve matière à réalisation pour une femme que dans l'étude. « Il est certain que l'amour de l'étude est bien moins nécessaire au bonheur des hommes qu'à celui des femmes. Les hommes ont une infinité de ressources pour être heureux [et] bien d'autres moyens d'arriver à la gloire [...]. Mais les femmes sont exclues, par leur état, de toute espèce de gloire, et quand par hasard, il s'en trouve quelqu'une née avec une âme assez élevée, il ne lui reste que l'étude pour la consoler de toutes les exclusions et de toutes les dépendances auxquelles elle se trouve condamnée par cet état[3]. » Pour parvenir à son but, Émilie fait preuve d'une extraordinaire puissance de travail qui ne manque pas de surprendre M$^{me}$ de Graffigny lors de son séjour à Cirey : « Elle passe tous les jours presque sans exception jusqu'à cinq et sept heures du matin à travailler [...]. Vous croyez qu'elle dort jusqu'à trois heures ? Point du tout [...]. Elle ne dort que deux heures et ne quitte son secrétaire dans les 24 heures que le temps du café qui dure une heure, et le temps du souper et une heure après[4]. »

Pour entrer de plain-pied dans la science de son temps, elle a pris des leçons de mathématiques avec Maupertuis et Clairaut ; elle lit tout ce qui compte en physique (Newton, Rohault, Clarke, Whiston, Musschenbroek, 's Gravesande, Regnault, Leibniz, Keill, etc.) et naturellement *Les Transactions philosophiques* et les recueils de l'Académie des sciences[5]. Elle entretient des correspondances scientifiques avec Maupertuis, Clairaut et Jean II Bernoulli, mais

---

**1** E. Badinter, *Émilie, Émilie, l'ambition féminine au XVIII$^e$ siècle*, Paris, Flammarion, 1983. **2** *Discours sur le bonheur*, Paris, Rivages-Poche / Petite bibliothèque Rivages, 1997, p. 52. **3** *Ibid.*, p. 53. **4** Françoise de Graffigny, *Correspondance de Madame de Graffigny*, Oxford, Voltaire Foundation, 1985, tome I, I [19 janvier 1739], p. 294. **5** *Les Lettres de la marquise Du Châtelet* (Th. Besterman éd.), Genève, Voltaire Foundation, 1958, lettre 186 au libraire Prault [16 février 1739].

aussi avec Wolff, Euler, Jurin, Jacquier et Musschenbroek. L'été 1737, après deux ans de travail acharné, elle décide de concourir au prix de l'Académie des sciences qui a pour sujet la nature du feu et sa propagation. Voltaire concourt, pourquoi pas elle ? D'autant qu'elle ne partage pas ses idées sur la question. À son insu, en quelques nuits, elle rédige son mémoire qu'elle fait parvenir anonymement (c'est la règle) à l'Académie. Ni elle ni lui ne l'emporteront, mais l'Académie leur fera l'honneur d'une publication. Du jamais vu pour une femme ! Encouragée par cette première victoire, elle prend prétexte de sa qualité de mère pour écrire un traité de physique adressé à son fils. Pour le terminer, elle embauche le savant allemand Koenig qui l'initie à la physique leibnizienne. Elle qui ne jurait que par Newton est séduite par son adversaire. Elle est convaincue de la véracité du calcul des forces vives. Les *Institutions de physique* paraissent en 1740 mais son conseiller Koenig, avec lequel elle s'est brouillée, fait courir le bruit dans Paris que l'œuvre est la sienne. Pure calomnie qui enchante les ennemis de la marquise et tous ceux qui n'admettent pas qu'une femme se mêle de science. Seuls les vrais savants, comme Clairaut ou Maupertuis, sont en mesure de la lire et d'évaluer la performance. D'ailleurs, le fameux *Journal des savants* lui consacre deux comptes rendus élogieux, montrant le cas qu'il faisait de cette œuvre sérieuse et néanmoins polémique. En effet, la marquise, qui ne manque ni d'audace ni de courage, s'est autorisée à critiquer la théorie des forces du secrétaire de l'Académie des sciences, l'honorable Dortous de Mairan. Vexé, cet homme d'habitude si courtois publie une réponse qui tente de la ridiculiser. En vain. Elle lui répond à nouveau avec brio et avec une insolence qui humilie Mairan et réjouit son ami Maupertuis : « Voilà M^me Du Châtelet au comble de ses vœux [...]. Elle a raison pour le fond et pour la forme[6]. » En attendant, si certains refusent de la prendre au sérieux à Paris, les *Institutions* sont traduites en italien dès 1743 et lui valent d'être associée à l'Académie de Bologne en 1746. Deux siècles et demi plus tard, on peut encore juger que « les premiers chapitres des *Institutions* sont l'une des plus belles et des plus nettes expositions de la doctrine de Leibniz en français[7] ». Les savants allemands lui en furent reconnaissants puisque la « Décade » d'Ausbourg la compta, en 1746, parmi les dix savants les plus célèbres de l'époque.

Émilie n'a pas pour autant tourné le dos à Newton. Au contraire, alors qu'elle rédige les *Institutions*, elle annonce déjà un prochain travail sur le système du monde selon Newton. Elle a eu l'occasion de se familiariser avec cette philosophie ardue exigeant une solide culture scientifique grâce à Maupertuis et à Voltaire qui en sont les hérauts en France. Non seulement

---

6 Francesco Algarotti, *Opere*, 1794, Venise, vol. XVI, lettre de Maupertuis du 28 juin 1741, p. 191.
7 *Cirey dans la vie intellectuelle. La réception de Newton en France* (F. de Gandt éd.), Oxford, Voltaire Foundation, 2001, p. 3-4.

elle a écrit un traité d'optique newtonien, mais elle a collaboré à la préparation des *Éléments de la philosophie de Newton* que Voltaire publie en 1738. Dans l'épître dédicatoire à M^me la marquise Du Châtelet, il rend un vibrant hommage à son travail qui est sa «gloire et celle de son sexe». Pourtant, ce n'est qu'en 1745 qu'elle se met véritablement au travail. Son objectif : traduire du latin en français l'œuvre maîtresse du savant anglais, les *Principia Mathematica*, encore fort peu lus en France, pour mettre un terme à la physique des tourbillons. Certes, les pères Jacquier et Le Seur ont déjà offert au monde savant un remarquable commentaire du système newtonien (1739-1742), mais il est lui-même écrit en latin. Souvent interrompue par ses multiples obligations et ses allées et venues, la marquise mettra cinq ans pour atteindre son but. C'était pour elle «une affaire très précieuse et très essentielle[8]» dont sa réputation dépendait. Les années 1745 et 1746 furent consacrées à cette traduction rendue difficile par le latin de Newton ; puis elle décida d'y ajouter un commentaire du Premier Livre en s'appuyant sur les tout derniers travaux de Clairaut dont la publication tardait. En attendant, elle corrige les épreuves et refait inlassablement les calculs. Une erreur de signe et tout s'effondre. 1748, on le sait, fut essentiellement l'année de Lunéville et de sa folle passion pour Saint-Lambert. Impossible de travailler au milieu d'une telle dissipation. Mais quand elle se rend compte qu'elle est enceinte, elle ressent l'urgence de finir son travail et de «le bien faire». Envahie par un sinistre pressentiment – elle est convaincue de ne pas survivre à ses couches –, Émilie s'enferme dans son bureau parisien durant six mois pour terminer son grand œuvre. Au moment où sa fin lui paraissait si proche, il était presque naturel à une femme de cette trempe de ne plus penser qu'à sa réputation future. Ultime espoir de survivre, peut-être, après sa mort.

Ses craintes et ses espoirs se réalisèrent. Quelques heures avant sa mort, le 10 septembre, elle signa la fin de son manuscrit et le fit parvenir à la Bibliothèque du roi. Elle voulait à tout prix qu'il y fût conservé. Fidèles à la mémoire de leur amie, Voltaire et Clairaut prirent soin de la publication de l'ouvrage en 1756 et 1759. Dans la préface qu'il rédigea, Voltaire lui rendit cet hommage : «Cette traduction que les plus savants hommes de France devaient faire et que les autres doivent étudier, une femme l'a entreprise et achevée à l'étonnement et à la gloire de son pays[9].»

M^me du Châtelet a gagné son pari. Non seulement elle a mérité le titre de savante, mais sa traduction fut la seule accessible aux lecteurs français de Newton jusqu'à la fin du XX^e siècle. Cette gloire, même modeste, lui vaut la place de première parmi les femmes de science de son pays.

---

**8** *Les Lettres de la marquise Du Châtelet, op. cit.*, lettre 379 à Saint-Lambert du 5 juin 1748.
**9** Voltaire, «Préface historique», dans *Principes mathématiques de la philosophie naturelle, de Newton*, traduits du latin par M^me Du Châtelet, Paris, 1759, p. v.

## Éducation et débuts

128
**Mme Du Châtelet
à sa table de travail**
École française du XVIII<sup>e</sup> siècle
Huile sur toile, 120 × 100 cm
Choisel, château de Breteuil

C'est Voltaire qui nous donne le plus
de renseignements sur l'éducation
de la jeune Émilie de Breteuil et
sur son goût pour les sciences :
« Son père, le baron de Breteuil, lui
avait fait apprendre le latin, qu'elle
possédait comme M<sup>me</sup> Dacier ;
elle savait par cœur les plus beaux
morceaux d'Horace, de Virgile,
et de Lucrèce ; tous les ouvrages
philosophiques de Cicéron lui
étaient familiers. Son goût dominant
était pour les mathématiques et pour
la métaphysique. On a rarement uni
plus de justesse d'esprit et plus de
goût avec plus d'ardeur », écrit-il
dans l'*Éloge historique*.
Dans sa lettre du 6 décembre 1738,
M<sup>me</sup> de Graffigny décrit un portrait
de M<sup>me</sup> Du Châtelet qui se trouvait
à Cirey, très semblable à celui-ci :
« Mde du Châtelet, avec tous ses
attributs, des livres, des compas,
un peroquet, des ponpons, de
la musique, des diamants, des
instruments de mathématique. »
*(Voir ill. p. 84)*

129
**Instruments scientifiques
de mathématicien**

a. Cadran horizontal inclinable
avec méridienne
Paris, vers 1733
Étui de cuir noir, velours et soie verts,
9,5 × 6,7 cm
Paris, musée du Louvre, département
des Objets d'art, OA 10706

Ce cadran de Julien Le Roy fut
présenté à la Société des arts
en 1734.

b. Microscope composé avec étui,
fabriqué par Magny
1755

Bronze doré, galuchat et corne,
51,7 × 21 cm
Paris, musée du Louvre, département
des Objets d'art, OA 10573

Magny avait réalisé auparavant
un microscope inclinable pour
Stanislas Lesczynski.

c. Nécessaire de mathématiques
Paris, milieu du XVIII<sup>e</sup> siècle,
13,5 × 97 × 22 cm
Paris, musée du Louvre, département
des Objets d'art, OA 10827

Ce nécessaire – règles, pointes
et compas – était, d'après une note
manuscrite jointe, à l'usage de
l'abbé Nollet.

d. Nécessaire de mathématiques
Paris, Nicolas Bion, début du XVIII<sup>e</sup> siècle
10 × 45 × 20 cm
Paris, musée du Louvre, département
des Objets d'art, OA 10832

L'étui de poche en chagrin noir
dont l'intérieur est plaqué d'or

contient une équerre, un
rapporteur, un compas, un tire-
ligne, un porte-crayon, tous en or.

e. Lunette portative pour
observations terrestres et
astronomiques
Paris, première moitié du XVIII<sup>e</sup> siècle
Laque à fond rouge, décoré de fleurs,
carton, papier, corne brune, lentilles
de verre
L. 30 cm (avec un développement total
de 87 cm en position d'utilisation) ;
diam. 3,8 cm
Collection particulière

Lunette de Galilée à lentilles de
verre ; sa décoration est un travail
typique des ateliers des laqueurs
parisiens. L'utilisation du laque
européen sur les instruments
scientifiques fut particulièrement à la
mode en France au début du règne
de Louis XV. L'abbé Nollet en faisait
la plupart du temps revêtir les parties
visibles de ses instruments de
démonstration. Le décor floral de

129 b

ce petit instrument le destine bien
entendu à un amateur distingué et
non à un observatoire. **J.-N. R.**

f. Compas de proportion
Paris, Pierre Sevin (actif vers 1660-1690)
Laiton gravé, L. 35,4 cm (fermé) ;
67 cm (ouvert à 180°) ; l. 5,3 cm (fermé) ;
ép. env. 5,05 mm
Signé « P. *Sevin A Paris* »
Collection particulière

Le succès du compas de proportion
avait été immédiat et il resta, même
après l'invention de la règle à calcul
logarithmique, l'instrument le plus
utilisé pour les calculs usuels
jusque dans la première moitié du
XIXᵉ siècle. Ces instruments étaient
en général petits. Les grands
compas de proportion français du
XVIIᵉ siècle sont rarissimes et leur
valeur tient à la précision parfaite
de l'exécution de leur division.
Passionnée de sciences exactes,
Mᵐᵉ Du Châtelet se consacra aux
mathématiques, non pas comme
les dames à la mode, mais avec une
vraie rigueur. Elle prit des leçons
auprès de Maupertuis, de Clairaut
et de Koenig. Ses portraits
la représentent entourée
d'instruments scientifiques. **J.-N. R.**

130
Gabriel Jacques de Saint-Aubin
(1724-1780)
*Les Nouvellistes*
Vers 1752, 11 × 15 cm
BNF, Estampes et Photographie,
Ef 37a Rés boîte 2

Les cafés étaient le lieu des
rencontres intellectuelles.
C'est au café Gradot, situé
quai de l'École, café des
mathématiciens et des physiciens,
que Mᵐᵉ Du Châtelet, habillée
en homme – car les femmes
n'étaient pas admises –,
retrouvait Maupertuis.

131
Fontenelle
*Ragionamenti su la pluralità
de'mondi*
Tradotti del francese del signor

Fontenelle, Parigi, Brunet, 1748
BNF, Réserve des livres rares, R-13652

Le frontispice dessiné par Natoire
et gravé par Charles Nicolas Cochin
représente une « marquise »
s'adonnant aux sciences,
entourée d'angelots, couronnée
par la Renommée et repoussant
les futilités.

132
**Lettre de Mᵐᵉ Du Châtelet
à Maupertuis, [janvier 1734]**
BNF, Manuscrits, Fr 12269, f. 10

Avide de savoir, Mᵐᵉ Du Châtelet
réclama instamment des leçons
à Maupertuis, qui lui avait été
présenté en 1734.

ALEXIS CLAUDE CLAIRAULT

né en 1713 . Élû par l'Académie des Sciences le 4 Septembre 1729 .

*Des calculs nouveaux son génie s'ouvre*
*Le mouvement des Cieux, la forme de la Terre .*
*Du talent d'éclairer, d'unir l'art de plaire ,*
*On voit moins d'écraser, qu'il ne connoit d'amis .*

134

**133**
Charles Léopold Grevenbroeck
(? – 1758)
*Vue de Paris vers le pont de Saint-Cloud, au fond le mont Valérien*
1738
Huile sur zinc, 69 × 90 cm
Paris, musée Carnavalet, P. 130

« Souvenez-vous de moi du moins
sur votre Thabor, souvenez-vous
de l'entrée que j'y fis ; faites mes
compliments au supérieur, que je
serais charmée de retrouver ; buvez
à ma santé au réfectoire », écrit-elle
à Maupertuis le 11 décembre 1737,
allusion à ses équipées à cheval
vers le mont Valérien pour retrouver
le cénacle des mathématiciens.

**134**
Jean Baptiste Delafosse (1721-1806)
**Alexis Clairaut**
1763
Gravure d'après Carmontelle,
30,5 × 17 cm
BNF, Estampes et Photographie,
Ad 18 Carmontelle, folio

Alexis Clairaut joua dès 1734 un
grand rôle dans le développement
des talents scientifiques de
M^me Du Châtelet qui sollicita ses
leçons. Plus tard il joua un rôle

essentiel pour la traduction
de Newton. Dans une lettre au père
Jacquier du 21 mars 1746, il écrit :
« M^me Du Châtelet a travaillé comme
un forçat toute l'année dernière et
une partie de celle-ci à la traduction
de Newton. Il n'a pas laissé de
refluer beaucoup de travail sur moi
et j'ai actuellement sa traduction
à revoir. »

**135**
Alexis Clairaut
*Élémens de géométrie*
Paris, David fils, 1741
BNF, Réserve des livres rares, V 18889

Grandjean de Fouchy, dans son
éloge de Clairaut prononcé le
13 novembre 1765 à l'Académie
royale des sciences, assure que les
*Elemens de géométrie* de Clairaut
avaient été écrits pour son élève :
« M^me la marquise Du Châtelet
avait résolu d'apprendre
la géométrie de M. Clairaut
et elle allait souvent à cheval
le trouver au Mont Valérien. »
L'ouvrage ne fut publié qu'en 1741
mais on sait par les archives de
l'Académie des sciences que
sa composition est antérieure.

## Mathématicienne, et comment

Antoinette Emch-Dériaz et Gérard G. Emch

Les quelques pages qui suivent s'attachent à éclairer le visage scientifique de la marquise Du Châtelet. Les mathématiciens reconnaissent leurs pareils aux théorèmes que ceux-ci ont prouvés, aux principes qu'ils ont découverts, aux théories qu'ils ont proposées ou, mieux encore, aux conjectures qu'ils ont émises : les théorèmes d'Euclide, les principes de Maupertuis ou d'Alembert, le calcul des variations d'Euler ou la conjecture de Fermat. Il n'y a rien de tel dans l'œuvre de notre mathématicienne qui s'adressait à un public plus large. M^me Du Châtelet elle-même, dans son *Discours sur le bonheur*, explicite une des motivations de sa quête intellectuelle : « L'amour de l'étude est de toutes les passions celle qui contribue le plus à notre bonheur. Dans l'amour de l'étude se trouve renfermée une passion dont une âme élevée n'est jamais exempte, celle de la gloire ; il n'y a même que cette manière d'en acquérir pour la moitié du monde […]. Il est certain que l'amour de l'étude est bien moins nécessaire au bonheur des hommes qu'à celui des femmes[1]. »

1 *Discours sur le bonheur*, préface d'Elisabeth Badinter, Paris, Rivages-Poche / Petite bibliothèque Rivages, 1997, p. 52-53.

Ce goût de l'étude sous-tendit et soutint tout au long de sa vie l'acquisition des connaissances que la société et les mœurs du temps lui défendaient et lui permettaient tout à la fois. Enfant, elle put s'instruire grâce à la fortune et à l'ouverture d'esprit de son père. Plus tard et de sa propre initiative, elle sut utiliser sa position, ses ressources financières et ses talents intellectuels pour poursuivre ce bonheur de l'étude.

Avec les meilleurs maîtres, elle a donc appris d'abord pour le plaisir d'apprendre, comme certain(e)s ajoutent à leur parure. Ensuite s'est manifestée, selon ce qu'elle appellait «les désirs d'une âme élevée», la recherche de la gloire, satisfaisant le besoin qu'elle ressentait de transmettre ce qu'elle avait compris. Ainsi, la contribution de M^me Du Châtelet mathématicienne nous est parvenue par l'intermédiaire de ses *Institutions de physique*, sa traduction et ses commentaires des *Principia* de Newton.

En harmonie avec l'esprit de son siècle, elle voulut contribuer à lutter contre un obscurantisme scientifique ancré dans les méthodes scolastiques. Avec ses précepteurs, parmi lesquels Maupertuis et Clairaut qui sont devenus ses amis, avec ses nombreux correspondants, tels Bernoulli, le père Jacquier ou Euler, sans bien sûr oublier Voltaire et la plupart des autres membres de ce que nous pourrions appeler la «coterie newtonienne», M^me Du Châtelet donna voix aux mathématiques nouvelles dans et depuis sa demeure de Cirey bien au-delà du cercle des initiés. Qu'il s'agisse de Leibniz et des forces vives, de Newton et de la gravitation universelle, ou encore d'Euler et Bernoulli déchiffrant les lois qualitatives de l'univers pour en rendre compte avec des prédictions quantitatives, elle a acquis de sa propre initiative les outils nécessaires à leur compréhension. Elle se proposait ainsi de faire la synthèse des recherches de ses contemporains en les incorporant dans le cadre des travaux de leurs aînés, afin d'éclairer un public qui n'était plus toujours assez érudit pour saisir les subtilités et les sous-entendus des textes latins.

M^me Du Châtelet est encore proche de la disposition d'esprit du XVII^e siècle et en particulier de Newton qu'elle pouvait lire en anglais aussi couramment qu'en latin. Elle sut saisir l'emploi, en voie de disparition chez les chercheurs du XVIII^e siècle, de la méthodologie heuristique héritée

de la géométrie euclidienne et de l'induction baconienne, évitant ainsi dans ses propres commentaires les dangers de reconstructions où certaines post-dictions sont présentées comme des pré-dictions – une cause de malentendus croissants au cours des siècles chez les lecteurs de Newton, malgré tous les efforts parfois peut-être trop subtils de M^me Du Châtelet.

Une lecture attentive de l'«Exposition abrégée» et surtout de la «Solution analytique» que M^me Du Châtelet introduisit à la suite de sa traduction des *Principia* indique combien la traductrice était informée des progrès de l'analyse post-newtonienne et comment elle sut en utiliser les leçons pour expliquer dans le nouveau langage ce qui aurait pu égarer ou laisser perplexe un lecteur qui n'eût plus été averti des conventions anciennes gouvernant encore la rhétorique newtonienne. Ainsi, le contexte et le texte du travail de M^me Du Châtelet ne peuvent être séparés ; le risque serait grand, sinon, de dénaturer l'originalité de sa contribution au moment où se transforme la sensibilité scientifique qui a marqué le développement des mathématiques du XVIII^e siècle francais.

*Les Principes mathématiques de la philosophie naturelle* parus en 1756-1759 sont non seulement une traduction partant du latin de Newton et arrivant au français de M^me Du Châtelet, mais encore une transition méthodologique dans l'exposition des résultats. Passant de la géométrie à l'analyse, cette transition témoigne aussi d'une révolution dans la conduite de la recherche scientifique elle-même. Ce n'est donc pas par hasard que les mots «exposition» et «analytique» figurent dans les titres des deux appendices qui constituent plus de la moitié du second des deux volumes des *Principes* de M^me Du Châtelet. Cette transition se manifeste clairement au long de ces commentaires alors qu'elle montre une indépendance croissante à l'égard d'un modèle newtonien devenu archaïque. Son traitement de la précession des équinoxes illustre cette vision que nous démontrons dans le paragraphe suivant.

Indiscutablement, dans le Livre III des *Principia*, Newton couvre dans ses lemmes I, II, III et dans sa proposition XXXIX un territoire jusque-là peu exploré et il y introduit/discute des notions nouvelles telles que le mouvement gyroscopique, pertinentes pour la compréhension de la précession des équinoxes. Cependant, il recourt souvent à des astuces hardies pour donner à ses conclusions une précision numérique que les expériences qu'il prétend évoquer ne peuvent justifier. Ainsi, les observations astronomiques desquelles il part donnent pour la précession des équinoxes une valeur de 50 secondes d'arc par année. Newton, impeccablement, attribue cette précession à la conjonction de trois causes : l'angle que l'axe de la terre forme avec le plan écliptique, l'aplatissement de la terre à ses pôles et les forces d'attraction du soleil et de la lune. Les coefficients qu'il introduit alors dans ses calculs se combinent de manière exquise pour arriver à un résultat incroyablement précis ; en effet, dans sa proposition XXXIX, il affirme que ses considérations théoriques lui permettent d'obtenir la valeur de $50'' 00''' 12''''$. Dans ses commentaires, en revanche, M$^{me}$ Du Châtelet ne se laisse pas impressionner par l'étonnante précision du «grand homme» dont elle veut pourtant être l'interprète. Sa probité mathématique et ses connaissances empiriques la rendent beaucoup plus circonspecte. Qualitativement et quantitativement, elle soulève objection sur objection à la précision newtonienne. Elle rapporte en particulier que quelques astronomes ont soupçonné que l'inclinaison de l'axe de la terre sur l'écliptique pourrait ne pas être constante au cours du temps et pourrait varier pour des raisons autres que celles auxquelles Newton attribue la précession des équinoxes. Elle cite le chevalier de Louville – dont les lettres de créance ont aujourd'hui considérablement pâli mais que ses contemporains considéraient suffisantes pour lui garantir les places d'académicien et de colonel des Dragons de la reine –, un astronome qui aurait avancé que cet angle diminue d'une minute d'arc par siècle (!) en raison de l'attraction des autres planètes. Sur quoi M$^{me}$ Du Châtelet commente qu'une telle diminution requiert des observations s'étendant sur une longue durée et que de telles observations demanderaient des instruments d'une qualité qui ne fut obtenue qu'au XVIII$^e$ siècle. Toute spectaculaire qu'ait été la virtuosité arithmétique de Newton,

M$^{me}$ Du Châtelet ne s'y laisse donc pas prendre ; elle en dénonce clairement les excès, tout en laissant place à des opinions qu'elle reconnaît alors franchement pour ce qu'elles sont : des conjectures. Incidemment, les travaux ultérieurs de Laplace lui donneront raison sur chacun de ces deux points :

1 – Newton ne pouvait pas prouver la précision factice à laquelle il prétendait ;

2 – L'inclinaison de l'axe de la terre présente en effet une variation séculaire qui avait complètement échappé à Newton.

Dans l'étude, M$^{me}$ Du Châtelet a trouvé le bonheur, et sa contribution au discours scientifique du XVIII$^e$ siècle lui a valu les accolades de ses contemporains éclairés. Ainsi d'Alembert écrit dans l'*Encyclopédie* : «Quelques auteurs ont tenté de rendre la philosophie newtonienne plus facile à entendre […].» D'Alembert mentionne ici les ouvrages en anglais ou les commentaires en latin de Whiston, 's Gravesande, Pemberton, MacLaurin, Le Seur et Jacquier et il évoque «le commentaire que madame la marquise Du Châtelet nous a laissé sur les principes de Newton avec une traduction de ce même ouvrage [2]».

Ce que M$^{me}$ Du Châtelet a accompli et que d'Alembert reconnaît dans la suite des noms célèbres dans les annales des mathématiques n'a en fait jamais été remplacé : nous lui devons, aujourd'hui encore, la seule traduction française complète des *Principia* de Newton, et cette traduction est toujours valable en regard des progrès accomplis depuis par l'historiographie scientifique. Elle a ainsi exorcisé le terme de «femme savante» tant moqué par Molière, malgré les sarcasmes de certains de ses contemporains – et en particulier de ses contemporaines –, défendant de la sorte sa définition du bonheur. Elle a ouvert la porte de la recherche scientifique aux femmes des siècles suivants. Le fait évident que celles-ci – telle Marie Curie – aient été plus avant qu'elle dans la création scientifique contribue encore à cette gloire qu'elle voyait comme la récompense de son étude.

---

**2** *Encyclopédie ou dictionnaire raisonné des sciences, des arts et des métiers…*, t. XI, Neuchâtel, Samuel Faulche, 1765, p. 123.

## À Cirey avec Voltaire

136
Isidore Deroy (1797-1886)
**Le château de Cirey**
Lithographie d'après Ricois
XIXᵉ siècle, 12 × 17 cm
BNF, Estampes et Photographie,
Va 52, folio, t. 1

La vie intellectuelle et la
collaboration entre Voltaire et
Mᵐᵉ Du Châtelet à Cirey furent
intenses, surtout de 1735 à 1739.
Les visites et la correspondance
maintenaient malgré le « désert »
les liens avec le monde scientifique.
Tous deux faisaient preuve d'une
capacité de travail stupéfiante.
Cirey devint le centre du parti
newtonien, mais on s'y adonnait
aussi aux études bibliques,
à la poésie, au théâtre et
même à l'histoire, que pourtant
Mᵐᵉ Du Châtelet n'aimait guère.

CHÂTEAU DE CIREY

136

137
Antoine Vestier (1740-1824)
**Voltaire**
Huile sur toile, 91 × 71 cm
Dijon, musée des Beaux-Arts,
inv. CAT 128

Attribué à Vestier, ce portrait
représente Voltaire vers 1745
tenant de sa main *La Henriade*.

138
Raphaello Morghen (1758-1833)
**Francesco Algarotti**
Gravé d'après Francesco Mignardi
et J. E. Liotard
Eau-forte, 20 × 14 cm
BNF, Musique, Est. Algarotti 002

« Algarotti était un Vénitien fort
aimable, fils d'un marchand fort
riche ; il voyageait dans toute
l'Europe, savait un peu de tout,
et donnait à tout de la grâce. »
Qui mieux que Voltaire pourrait
décrire Algarotti ! Né à Venise
en 1712, personnage cosmopolite
aux intérêts et passions multiples,
il avait pris goût, à Bologne, sous
l'influence de Zanotti, aux sciences

137

exactes et aux théories de Newton.
Parti en 1733 pour Paris il se
consacra à son *Newtonianismo
per le dame*, qui lança sa réputation.
Maupertuis et Clairaut voulurent
l'emmener dans leur voyage
scientifique en Laponie, mais
il y renonça. Voltaire, qui l'appelle
« le cygne de Padoue », l'invite à Cirey
à l'automne 1735, où il participe
à tous les travaux des maîtres
du lieu. Attiré ensuite à Berlin par
Frédéric II, il y passe le restant de sa
vie, comblé d'honneurs, et retourne
mourir en Italie en 1764.

139
Francesco Algarotti
*Il Newtonianismo per le dame,
ovvero Dialoghi sopra la luce*
Napoli (Milano), 1737
BNF, Arsenal, 4-S-1095

Francesco Algarotti fut invité
pendant quelques mois à Cirey
tandis qu'il préparait son ouvrage
à succès, Le *Newtonianisme pour
les dames* (1737). Les entretiens
avec Voltaire et M^me Du Châtelet
servirent de modèle pour les
dialogues de son livre qui expose
le système newtonien de la lumière
et des couleurs sous la forme
d'une conversation galante entre
une dame et un gentilhomme.
Le portrait de M^me Du Châtelet,
qui la représentait en train
de converser avec Algarotti,
apparaît sur le frontispice du livre.
La marquise considéra le livre
comme trop frivole et superficiel
et ne fut pas peu surprise par
la dédicace au secrétaire de
l'Académie des sciences de Paris,
M. de Fontenelle, cartésien
convaincu. M. M.

FRANCISCUS ALGAROTTUS

Mingardi del.

Raph.Morghen sculp.

138

Gio. Batta Piazzetta inv.

Marco Pitteri Scolpf.

*[manuscrit]* à Cirey le 12 may 1738

140

**140**
**Lettre de M^me Du Châtelet**
**et Voltaire à Algarotti, Cirey,**
**12 mai 1738**
BNF, Manuscrits, NAF 24330, f. 228-229

M^me Du Châtelet ne manqua pas
de faire part à Algarotti de son
opinion : « Je n'ai pas encore pu
avoir la satisfaction de voir votre
livre, Monsieur ; enfin on me
l'annonce pour ces jours-ci ; il n'y
a que vous que j'attende avec plus
d'impatience. […] On vous annonce
en France, où il me semble que
votre ouvrage a aussi bien réussi
que la dédicace a été peu
approuvée. »

**141**
**Pierre Michel Alix (1762-1827)**
**Helvétius**
Gravure en couleurs d'après Van Loo,
37 × 26 cm
BNF, Estampes et Photographie,
Ef 106 rés., in-folio (I, p. 19)

Claude-Adrien Helvétius (1715-
1771) est probablement plusieurs
fois passé par Cirey, depuis sa

rencontre avec Voltaire en 1738.
Ils furent alors très proches.
Des questions d'argent avec
M^me Du Châtelet refroidirent les
relations en 1744. Helvétius
dédicaça à M^me Du Châtelet,
qu'il appelle « la sublime Émilie »,
l'*Épître sur l'amour de l'étude*.

**142**
**Réginald Outhier**
***Journal d'un voyage au Nord,***
***en 1736 et 1737 […]***
Paris, Piget, 1744
BNF, Arsenal, 4-H-380

En 1736, Maupertuis, aidé de
Clairaut, organisa une expédition
en Laponie qui dura plus d'un an.
Il prouva l'aplatissement terrestre
aux pôles, conformément au
postulat de Newton. À Cirey,
on suivait passionnément les
nouvelles de l'expédition. Voltaire
l'évoquera dans *Micromégas* :
« On sait que dans ce temps-là
même, une volée de philosophes
revenait du cercle polaire, sous
lequel ils avaient été faire des

observations dont personne
ne s'était avisé jusqu'alors. »
L'aventure des deux Lapones
poursuivant jusqu'à Paris les
séduisants Français de
l'expédition de 1736 défraya
la chronique parisienne.
À Cirey, Voltaire s'en amusa et
M^me Du Châtelet proposa une
souscription pour aider les
deux femmes et les envoyer
dans un couvent.

**143**
**Lettre de M^me Du Châtelet**
**à Maupertuis, 26 [janvier 1739]**
BNF, Manuscrits, Fr 12269, f. 131-132

Retirée à Cirey, M^me Du Châtelet
finit par renoncer à une liaison
intime avec Maupertuis mais
continua à entretenir avec lui une
correspondance scientifique.
Elle le consultait et lui exposait ses
idées. Il ne fit qu'une courte visite
à Cirey en janvier 1739.

**144**

Voltaire

*Élémens de la philosophie de Neuton, donnés par M. de Voltaire*
À Londres (Paris, Prault), 1738
Exemplaire dédicacé au comte d'Argenson
BNF, Arsenal, Rés 8-S-6556

Voltaire avait découvert Newton lors de son séjour en Angleterre entre 1727 et 1729, et sous l'influence de M^me Du Châtelet il se passionna pour l'attraction. Maupertuis, lui aussi revenu d'Angleterre newtonien, accepta de le conseiller. M^me Du Châtelet et lui devinrent les disciples militants de Maupertuis avec Clairaut et La Condamine. À Cirey, où il avait installé un laboratoire, Voltaire se consacra à la physique expérimentale et à la philosophie scientifique. Le retentissement de l'ouvrage dédié à M^me Du Châtelet fut considérable, et son succès immédiat.
Dans l'épître dédicatoire de l'édition de 1748, Voltaire rend à nouveau hommage à Émilie : « Madame, lorsque je mis pour la première fois votre nom respectable à la tête de ces Élémens de philosophie, je m'instruisais avec vous. Mais vous avez pris depuis un vol que je ne peux plus suivre. Je me trouve à présent dans le cas d'un grammairien qui aurait présenté un essai de rhétorique ou à Démosthène ou à Cicéron. J'offre de simples Éléments à celle qui a pénétré toutes les profondeurs de la géométrie transcendante, et qui seule parmi nous a traduit et commenté le grand Newton. » M^me Du Châtelet publia anonymement une *Lettre sur les elemens de la philosophie de Neuton*, dans le *Journal des sçavans* de septembre 1738 (p. 534-541).

**145**

Voltaire

*À Émilie / C. M. L. M. D. C.*
[C. M. L. M. D. C. : c'est madame la marquise du Châtelet]
S. l., vers 1738. In-8°, 8 p.

BNF, Réserve des livres rares, Z Bengesco 189

Édition séparée de la dédicace en vers à M^me Du Châtelet, « Minerve de la France, immortelle Émilie ».

**146**

Voltaire

*Essay sur l'Histoire générale et sur les mœurs et l'esprit des nations, depuis Charlemagne jusqu'à nos jours*
*Nouvelle édition, revue, corrigée et considérablement augmentée*
Tome I (Genève, Cramer), 1761-1763
De la bibliothèque La Vallière
BNF, Arsenal, 8-H-2240 (1)

Cet *Essai* fut composé aux dires de Voltaire pour enseigner l'histoire à M^me Du Châtelet : « Vous voulez enfin surmonter le dégoût que vous cause l'Histoire moderne depuis la décadence de l'empire romain, et prendre une idée générale des nations qui habitent et qui désolent la terre. Vous ne cherchez dans cette immensité que ce qui mérite d'être connu de vous ; l'esprit, les mœurs, les usages des nations principales, appuyés des faits qu'il n'est pas permis d'ignorer. » Les copies s'en multiplièrent et les premiers chapitres parurent dans *Le Mercure*, d'avril 1745 à juin 1746.

**147**

Voltaire

*Alzire ou les Américains*
*Tragédie de M. de Voltaire, représentée pour la première fois à Paris, le 27 janvier 1736*
Paris, J.-B. Cl. Bauche, 1736
BNF, Arsenal, GD 4941

La pièce fut jouée pour la première fois à la Comédie-Française le 27 janvier 1736, avec M^lle Gaussin. Elle est précédée d'une épître à M^me Du Châtelet, très intéressant exposé des idées de Voltaire sur le droit des femmes à la vie intellectuelle et scientifique et pour l'égalité des sexes. On a pu voir en M^me Du Châtelet le modèle d'Alzire, personnage très intelligent et d'une grande sensibilité.

**148**

M^me Du Châtelet

*Dissertation sur la nature et la propagation du feu*
Paris, Prault fils, 1744
BNF, Réserve des livres rares, Z Bengesco- 853 (1)

Ayant entendu parler du sujet du prix de l'Académie des sciences pour 1737, Voltaire demanda des précisions à Moussinot en août 1736 et se mit à y travailler, engageant même un chimiste. M^me Du Châtelet voulut aussi concourir. Elle travailla la nuit en cachette mais ne fit aucune expérience.
Quoique n'ayant pas eu le prix, qui revint à Euler, les deux essais, par « une jeune dame d'un haut rang » et « un de nos premiers poètes », furent publiés sur la recommandation de Réaumur.

**149**

Lettre de M^me Du Châtelet à Cideville, 15 mars 1739
Rouen, archives de l'Académie des sciences, belles-lettres et arts de Rouen, C 31, f. 45-46

« Dieu m'a refusé toute espèce de génie et j'emploie mon temps à démêler les vérités que les autres ont découvertes. J'ai cependant eu l'audace de travailler pour les prix de l'Académie des sciences et d'imiter en cela votre ami [...]. Je crains bien que la lecture de ce mémoire ne vous ennuie, il est beaucoup trop long, mais je m'y pris trop tard et à la lettre je n'ai pas eu le temps de le faire plus court. »

**150**

M^me Du Châtelet

*Institutions de physique*
Manuscrit en partie autographe, 34 × 26 cm
BNF, Manuscrits, Fr 12265

Gagnée aux principes de Leibniz grâce à Koenig, M^me Du Châtelet s'efforce dans cet ouvrage, à l'origine manuel destiné à l'éducation de son fils, de

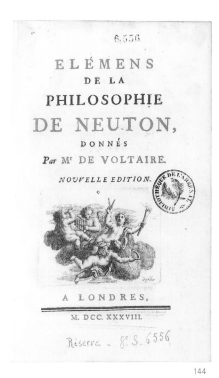

6.556

# ELÉMENS
## DE LA
# PHILOSOPHIE
# DE NEUTON,
### DONNÉS
### Par Mr DE VOLTAIRE.

*NOUVELLE EDITION.*

A LONDRES,

M. DCC. XXXVIII.

Réserve - 8°.S.6556

144

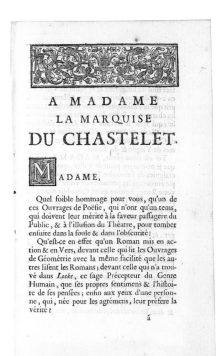

# A MADAME
## LA MARQUISE
# DU CHASTELET.

MADAME,

Quel foible hommage pour vous, qu'un de ces Ouvrages de Poëfie, qui n'ont qu'un tems, qui doivent leur mérite à la faveur paffagere du Public, & à l'illufion du Théatre, pour tomber enfuite dans la foule & dans l'obfcurité!

Qu'eft-ce en effet qu'un Roman mis en action & en Vers, devant celle qui lit les Ouvrages de Géométrie avec la même facilité que les autres lifent les Romans; devant celle qui n'a trouvé dans Locke, ce fage Précepteur du Genre Humain, que fes propres fentimens & l'hiftoire de fes penfées; enfin aux yeux d'une perfonne, qui, née pour les agrémens, leur préfere la vérité?

a

147

# DISSERTATION
## SUR LA NATURE
## ET
# LA PROPAGATION
## DU FEU.

Ignea convexi vis, & fine pondere cœli
Emicuit, fummáque locum fibi legit in arce.
*Ovid.*

A PARIS,

Chez PRAULT, Fils, Quai de Conti, vis-à-vis la defcente du Pont-Neuf, à la Charité.

M. DCC. XLIV.

*Avec Approbation & Privilege du Roi.*

148

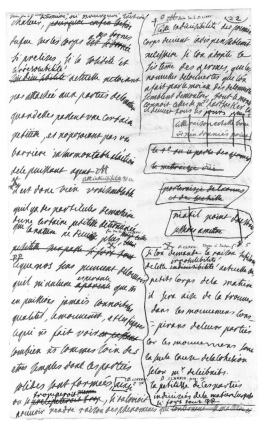

150

concilier les thèses du philosophe allemand avec les concepts de base du newtonianisme. Elle exprime là une volonté de fonder philosophiquement la science empirique, volonté dont on retrouvera l'écho chez Schelling et les philosophes allemands du XIXe siècle. Sur ce point, elle s'éloigne de Voltaire. Cependant, les *Institutions* de « l'astronomique Émilie », publiées en 1740 et qui lui valent une controverse avec le très respecté secrétaire perpétuel de l'Académie des sciences, Dortous de Mairan, contiennent davantage de physique que de métaphysique. M. S.

151
Mme Du Châtelet
*Institutions de physique*
Paris, Prault fils, 1740
BNF, Arsenal, 8-S-6360

Maupertuis avait recommandé Koenig comme maître à Mme Du Châtelet. Après deux ans, passés entre Cirey et Bruxelles, la brouille éclata. Koenig, « dont la franchise helvétique alloit jusqu'à la rusticité », d'après Formey, se jugeait mal nourri et traité comme un domestique. Il fit courir le bruit qu'il était le vrai auteur des *Institutions de physique*. « On me mande de Berlin qu'il y passe pour constant que Koenig me l'a dicté, je n'exige sur ce bruit aussi injurieux d'autre preuve de votre amitié que de dire la vérité, car vous savez que mon amour-propre est aisé à contenter, et que je ne rougis pas d'avouer la part qu'il y a eu, la seule chose dont j'ai à rougir c'est d'avoir la plus petite obligation à un si malhonnête homme », écrit Mme Du Châtelet à Maupertuis le 22 octobre 1740.

152
**Lettre de l'abbé Le Blanc
au président Bouhier,
13 janvier 1740**
BNF, Manuscrits, Fr 24412, f. 538-539

L'abbé Le Blanc se fit l'écho des allégations de Koenig : « Je vous parlerai d'une scène que *milady Newton*, c'est-à-dire madame du Châtelet nous prépare. Elle a fait une infidélité à ce grand philosophe et l'a quitté pour Leibnitz. Pendant son séjour à Paris, elle a fait imprimer des *Institutions physiques* en trois volumes, où elle a adopté le système du philosophe allemand, et réfute Newton et ses disciples. […] Il [Koenig] m'a juré à moi et à tous ceux qu'il a vus ici que cet ouvrage n'étoit autre chose que les leçons qu'il lui avoit données, et que dès qu'elle le feroit paroître, il revendiqueroit tout ce qu'il y avoit de bon et ne laisseroit à madame la marquise que les folies et les extravagances qu'elle y avoit ajoutées. »

153
Mme Du Châtelet
*Instituzioni di fisica di madama la marchesa du Chastellet indiritte a suo figliuolo*
*Traduzione dal linguaggio francese nel toscano, accresciuta con la dissertazione sopra le force motrici di M. de Mairan*
In Venezia, Presso Giambatista Pasquali, 1743
BNF, Arsenal, Rés 16-Z-20340

Les *Institutions de physique* eurent rapidement une traduction en italien, mais aussi en allemand par Steinwehr (Halle / Leipzig, 1743), preuves de la réputation européenne de la marquise.

## La querelle des « forces vives »
## Le débat entre M^me Du Châtelet et Dortous de Mairan

Keiko Kawashima

C'est la première querelle sérieuse entre une femme et un homme dans l'histoire des sciences. On attribue généralement au chapitre XXI des *Institutions de physique* (1740) la raison de cette querelle. En effet, M^me du Châtelet y critique vivement un mémoire de Mairan, secrétaire perpétuel de l'Académie des sciences (*Dissertation sur l'estimation & la mesure des forces motrices des corps*, 1728). En réalité, la tension est déjà sensible lors du concours de l'Académie à propos de la nature et de la propagation du feu en 1738. La marquise a demandé à l'Académie quelques modifications de sa « Dissertation du feu » déjà présentée pour critiquer le mémoire de Mairan. Contrairement à ce que disait Voltaire, la conversion de M^me Du Châtelet à la notion des « forces vives » n'est pas due à l'influence de Koenig[1], mais à sa propre démarche intellectuelle. Le chapitre XXI est en fait la dernière salve de la querelle développée dans leur correspondance publique (voir notices n^os 152 et 153).

L'un, qui mettait l'accent sur le temps écoulé lors du mouvement d'un corps et sur la distance non parcourue, n'a point convaincu l'autre qui croyait que l'essentiel était le résultat obtenu. La marquise, ne raisonnant qu'en termes de quantité scalaire, va jusqu'à ridiculiser le signe « moins » de Mairan. Le secrétaire, furieux, fait même republier son mémoire la même année, et un ami, l'abbé Deidier, lui apporte son soutien en publiant une *Nouvelle réfutation de l'hypothèse des forces vives* (1741). L'Académie garde le silence. Le *Journal de Trévoux* traite, en revanche, de cette querelle et annonce le triomphe littéraire de M^me Du Châtelet. Une question de « genre » ironique, néanmoins. Le compliment fait par le *Journal de Trévoux* sur la féminité de l'auteur laisse apparaître en même temps une forme de misogynie, arguant que la féminité est incompatible avec les sciences. Dans un souci d'élégance, M^me Du Châtelet, qui voulait être traitée plus sérieusement et louée pour ses seules qualités scientifiques, supprimera, dans la troisième publication de 1744, une partie de sa *Réponse* publiée par le *Journal de Trévoux*. « Je ne suis pas secrétaire de l'Académie, écrit-elle à un ami intime, mais j'ai raison, et cela vaut tous les titres. » Il ne faut jamais oublier que cette lettre fut écrite à une époque où l'Académie des sciences n'acceptait pas de femme en son sein.

Cette querelle attira de surcroît l'attention des savants étrangers. La deuxième édition des *Institutions de physique* (1742), y compris la *Lettre* de Mairan et la *Réponse* de M^me Du Châtelet, fut traduite en allemand et en italien. Dans la version italienne, le mémoire de Mairan a été inséré pour faire mieux comprendre aux lecteurs le sens de cette querelle remarquable dans l'histoire des sciences.

1 Samuel Koenig, mathématicien né à Büdingen (Hesse, Allemagne) en 1712, mort à Zuilestein en 1757.

154
Jean Baptiste Delafosse (1721-1806)
**Dortous de Mairan**
Gravure d'après Carmontelle, 30 × 18 cm
BNF, Estampes et Photographie,
Ad 18 Carmontelle, folio

En 1740, le doux Mairan, de Béziers, homme de réseaux et très mondain, succède à Fontenelle comme secrétaire perpétuel de l'Académie des sciences. Fidèle à Descartes, il admire néanmoins Newton.

155
Jean-Jacques Dortous de Mairan
*Lettre de M. de Mairan, [...] à Madame \*\*\* [la marquise du Châtelet] sur la question des forces vives, en réponse aux objections qu'elle lui fait sur ce sujet dans ses « Institutions de physique »*
Paris, C.-A. Jombert, 1741
BNF, Philosophie, Histoire, Sciences de l'homme, R-13817

156
*Réponse de Madame \*\*\* à la lettre que M. de Mairan, [...] lui a écrite le 18 février 1741 sur la question des forces vives [...]*
Bruxelles, Foppens, 1741
BNF, Arsenal, 8-S-13661 (5)

Jean Jacques d'Ortous de *Mairan*, de l'academie Francoise et de celle des Sciences. auteur d'un Traité physique et historique de l'aurore boreale 1733 et 1754.

154

157
**Lettre de Voltaire
à Dortous de Mairan,
Bruxelles, 1ᵉʳ avril 1741**
BNF, Arsenal, Ms 7567 (8)

Dans sa *Lettre à M. Koenig* de 1752,
Voltaire rappelle : « Vous vous
souvenez des deux années que
nous avons passées ensemble
dans une retraite philosophique
avec une dame d'un génie étonnant
et digne d'être instruite par vous
dans les mathématiques. Quelque
amitié qui m'attachât à elle et
à vous, je me déclarai toujours
contre votre sentiment et le sien
sur la dispute des *forces vives*.
Je soutins effrontément le parti
de M. de Mairan contre vous deux ;
et ce qu'il y eut de plaisant, c'est

que lorsque cette dame écrivit
ensuite contre M. de Mairan sur
ce point de mathématique je
corrigeai son ouvrage, et j'écrivis
contre elle. » En effet, dans cette
lettre à Mairan, il s'efforce de
calmer les protagonistes : « Je ne
sais par quelle fatalité les dames
se sont déclarées pour Leibnitz.
Mᵐᵉ la princesse de Columbrano
a écrit aussi en faveur des *forces-
vives*. Je ne m'étonne plus que
ce parti soit si considérable.
Nous ne sommes guère galants,
ni vous ni moi. Mais vous êtes
comme Hercule, qui combattait
contre les Amazones sans
ménagement ; et moi, je ne suis
dans votre armée qu'un volontaire
peu dangereux. »

158
Johann Jakob Haid (1704-1767)
**Johann Bernoulli**
Gravure d'après Huber, 33 × 20 cm
BNF, Estampes et Photographie, N2

Mᵐᵉ Du Châtelet entretient une
correspondance suivie avec
Johann Bernoulli (1667-1748),
mathématicien bâlois, qui fit
un court séjour à Cirey.
Elle espéra même pouvoir
bénéficier à Bruxelles de ses
leçons après sa brouille avec
Koenig, mais Bernoulli ne vint
jamais. Maupertuis, qui d'abord
lui avait fait de grands éloges de
la marquise « belle et jolie », l'en
dissuada : « Mᵐᵉ Du Châtelet est
une femme à qui il est dangereux
d'avoir affaire. »

159
Bénédict Alphonse Nicollet (1743-1806)
**Le père Jacquier**
1750
Gravure d'après Cochin, 21 × 15 cm
BNF, Estampes et Photographie, N2

Grand mathématicien, le père Jacquier,
minime, fit un commentaire en latin des
*Principes mathématiques de la philosophie
naturelle* de Newton (1739-1742).
En juillet 1744, il alla à Cirey.
M^me Du Châtelet eut avec lui une
correspondance à la fois scientifique
et amicale.

160
*Principes mathématiques de la philosophie
naturelle par M. Newton*
*Traduits en français avec un commentaire sur les
propositions qui ont rapport au système du monde
Par M^me Du Châtelet*
Manuscrit autographe
BNF, Manuscrits, Fr 12266, 12267, 12268

À la fin de 1744, Émilie décida de traduire
les *Principia* : elle y passera quatre ans, avant
de s'attaquer en 1746 à un commentaire
du troisième paragraphe, « The system of the
world ». L'étude du manuscrit prouve qu'elle
est bien l'auteur de ce travail considérable
et non le mathématicien Alexis Clairaut qui en
a annoté des passages et à qui elle a envoyé
en septembre les épreuves corrigées.
Malade et démoralisée à la veille de ses
couches, en septembre 1749, elle écrivait
à l'abbé Sallier, bibliothécaire du Cabinet
des manuscrits à la Bibliothèque royale :
« Je vous supplierai de vouloir bien mettre
un numéro à ces manuscrits et les faire
enregistrer afin qu'ils ne soient pas perdus. »
(BNF, Manuscrits, Fr 12267, f. 4.) L'ouvrage
fut publié en 1759 par Clairaut. **M. S.**
*(Voir ill. p. 84)*

161
Isaac Newton
*Principes mathématiques de la philosophie
naturelle*
*Par feue madame la marquise Du Chastellet*
Paris, Desaint et Saillant, 1759
BNF, Arsenal, 4-S-2831 (1-2)

Lorsque le livre paraît enfin, en 1759,
la traductrice est morte depuis dix ans.
La bataille des newtoniens est gagnée mais,
dans sa préface, Voltaire rappelle la férocité
de la lutte et le rôle de la marquise.

FRANÇOIS DE PAULE JACQUIER,
*Professeur de Mathématiques à la Sapience*
J. Rome

*Dessiné à Rome par C. N. Cochin en 1750*          *Gravé par B. A. Nicollet.*

159

160

Avec virulence, il condamne ceux qui, refusant la vérité de Newton, venant de l'étranger et menaçant leurs habitudes intellectuelles, se sont obstinés dans le cartésianisme. Cette traduction reste encore la seule existant en français.

162
Isaac Newton
***Philosophiae naturalis principia mathematica***
*Auctore Isaaco Newtono*
*[cum praefatione Rogeri Cotes*
*necnon carmine Edmundi Halley] [...]*
*perpetuis commentariis illustrata*
*communi studio P. P. Thomae Le Seur*
*et Francisci Jacquier, [...]*
Genevae, typis Barrillot et filii, 1739-1742
BNF, Arsenal, 4-S-2827 (1)

M^me Du Châtelet fut en relation épistolaire avec le père Jacquier, éditeur de Newton.

163
Jean-Louis Daudet
(1^re moitié du XVIII^e siècle)
**Christian Wolff**
Lyon, 1731
Gravure, 23 × 18 cm
BNF, Estampes et Photographie, N2

Après avoir considéré en 1738 que Wolff, disciple de Leibniz, n'était qu'un « grand bavard en métaphysique », M^me Du Châtelet présenta deux ans plus tard ses *Institutions* comme une esquisse de la métaphysique de Wolff et de Leibniz, au contraire de Voltaire qui restera newtonien. Elle entretient une correspondance avec Wolff.

167 c

PRINCIPES
MATHÉMATIQUES
DE LA
PHILOSOPHIE NATURELLE,
*Par feue Madame la Marquise du* CHASTELLET.
TOME PREMIER.

A PARIS,
Chez { DESAINT & SAILLANT, rue S. Jean de Beauvais,
LAMBERT, Imprimeur-Libraire, rue & à côté
de la Comédie Françoise, au Parnasse.

M. D. CCLIX.
*AVEC APPROBATION ET PRIVILÈGE DU ROI.*

4°.J.A.2832¹

161

## Le cabinet de physique de Cirey

Danielle Muzerelle

Retirés à Cirey, Voltaire et M^me Du Châtelet constituèrent pour leurs travaux un cabinet de physique. Non pas un de ces cabinets tellement à la mode alors dans l'aristocratie éclairée, mais un véritable lieu d'expérimentation. Les lettres de Voltaire adressées à son chargé d'affaires l'abbé Moussinot nous renseignent sur la composition de ce cabinet, en particulier sur les achats d'objets scientifiques à l'abbé Nollet et les sommes importantes que Voltaire y consacre, surtout au moment où le couple s'intéresse à la nature et à la propagation du feu. Lors de la visite qu'elle effectue en 1738, M^me de Graffigny parle de «la petite galerie qui n'a guère que trente ou quarante pieds de long […].

L'autre côté des fenêtres est partagé en deux armoires, l'une des livres, l'autre des machines de physique.» M^me Du Châtelet essaya d'attirer Maupertuis à Cirey en lui vantant son cabinet de physique. Elle lui en parla à plusieurs reprises.
À la mort de son amie, Voltaire, avec l'accord de M. Du Châtelet, emporta tous les objets scientifiques. Il y en avait vingt-cinq grosses caisses, comme il le précise dans une lettre du 29 septembre 1749. M^me Du Châtelet avait sans doute des instruments scientifiques personnels puisque dans son inventaire après décès on trouve parmi ses fournisseurs Pagny et Baradelle, deux fabricants de ce type d'objets.

---

164
Jacques de Lajoue
(1686 ou 1687-1761)
**L'abbé Nollet**
Huile sur bois, 54 × 44 cm
Paris, musée Carnavalet, P. 2004

De Nollet, Voltaire écrit : « C'est un philosophe, c'est un homme d'un vray mérite qui seul peut me fournir mon cabinet de physique et il est beaucoup plus aisé de trouver de l'argent qu'un homme comme luy. » Apôtre de la physique expérimentale, Nollet souhaite faire comprendre les phénomènes de la nature à son auditoire, la noblesse française éclairée. Pour expliquer ses leçons, il devient fournisseur des très beaux instruments qui servent à ses démonstrations. « L'abbé Nollet me ruine », s'exclame Voltaire qui lui aura payé au moins 10 000 livres pour le cabinet de Cirey.

165
Jean-Antoine Nollet
*Leçons de physique expérimentale*
À Paris, chez Hippolyte-Louis Guerin,
& Louis-François Delatour
Tome I, 1759
Ex-libris de Champbonin
BNF, Arsenal, 8-S-6473

Pour qui voulait reproduire ses expériences, Nollet a écrit de nombreux ouvrages, notamment ses *Leçons de physique expérimentale*. Le frontispice et les planches où apparaissent des dames montrent bien à quel public il s'adressait.

166
**Lettre de Voltaire à Moussinot**
**5 juin 1737**
24 × 20 cm
BNF, Manuscrits, Fr 15208, f. 55 v°-56

Les lettres de Voltaire au chanoine Moussinot, son chargé d'affaires, sont riches de renseignements sur ses goûts et ses besoins au moment où il réside principalement à Cirey avec M^me Du Châtelet. Voltaire le charge – pour lui et pour elle – de très nombreuses commandes, en particulier pour son cabinet de physique et pour sa bibliothèque.

167
**Objets scientifiques**
**de l'abbé Nollet**

a. Globe céleste
1730
Bois; carton, papier; fer; plâtre,
62 × 47 × 47 cm
Paris, musée des Arts et Métiers,
3853

Nollet a exécuté une paire de globes – terrestre et céleste – en 1730 dédiés au protecteur de la Société des arts, Louis de Bourbon-Condé, comte de Clermont.

b. Pompe à feu
XVIII^e siècle
Acier; bois; laiton; verre,
84 × 22 × 45,40 cm
Paris, musée des Arts et Métiers,
04409
Voir : Jean-Antoine Nollet, *Leçons [...]*,
tome IV, leçon XII, planche II

c. Machine pneumatique
XVIII^e siècle
Bois; bronze; laiton; verre,
133,5 × 44 × 49 cm
Paris, musée des Arts et Métiers,
06923
Voir : Jean-Antoine Nollet, *Leçons [...]*,
t. I, leçon II, planche I

d. Balance hydrostatique
à réservoir central
XVIIIe siècle
Bois; alliage ferreux; laiton; verre,
60 × 22 × 65 cm
Paris, musée des Arts et Métiers,
07509

e. Fontaine intermittente
XVIIIe siècle
Bois, fer; laiton; verre; peinture rouge
et noire, 71 × 29 cm
Paris, musée des Arts et Métiers,
08071
Voir : Jean-Antoine Nollet, *Leçons [...]*,
tome I, leçon I, planche IV

f. Appareil pour l'étude
de la compression des gaz
XVIIIe siècle
Bois; cuir; fer; laiton; verre,
127 × 81 × 153 cm
Paris, musée des Arts et Métiers,
08073

g. Aimant artificiel
XVIIIe siècle
Fer; laiton, 45 × 37 cm × 58,7 cm

Paris, musée des Arts et Métiers, 08079
Voir : Jean-Antoine Nollet, *Leçons [...]*,
tome VI, leçon XIX, planche X

### 168
**Le cabinet de Chenonceau**

a. Vis d'Archimède
XVIIIe siècle
35 × 23 cm
Tours, Société archéologique de Tours
Voir : Jean-Antoine Nollet, *Leçons [...]*,
tome III, leçon IX, planche VIII

b. Plan incliné
XVIIIe siècle
22 × 25 cm
Tours, Société archéologique de Tours

Une sphère de pierre est retenue
sur un plan d'inclinaison variable.

c. Train d'engrenage
XVIIIe siècle
30 × 23 cm
Tours, Société archéologique de Tours

Dispositif avec cliquet d'arrêt pour
soulever un poids.

d. Mouvement composé
XVIIIe siècle
37 × 37 cm

Tours, Société archéologique de Tours
Voir : Jean-Antoine Nollet, *Leçons [...]*,
tome II, leçon V, planche II

e. Gouttière de 's Gravesande
XVIIIe siècle
40 × 50 cm
Tours, Société archéologique de Tours

f. Retorte de terre
XVIIIe siècle
30 cm
Tours, Société archéologique de Tours

Ces objets – fabriqués sur le
modèle de ceux de l'abbé Nollet –
viennent du cabinet de physique
que Dupin de Francueil constitua
à Chenonceau à partir de 1745,
à l'instar de celui de Cirey.
Voltaire commanda à Moussinot des
retortes – ou cornues – de ce type
pour ses expériences sur le feu.

### 169
Jean-Antoine Nollet
*Leçons de physique expérimentale*
À Paris, chez Hippolyte-Louis Guérin,
& Louis-François Delatour
Tome V, 1758, leçon XVII, planche VII
BNF, Arsenal, 8-S-6473 (5)

Mme Du Châtelet commanda
une *camera obscura* à Nollet
en avril 1736.

168 e

# Mme Du Châtelet et la Bible

Bertram E. Schwarzbach

On sait, par le témoignage de Voltaire dans une lettre à Niklaus Friedrich Steiger, puis dans une autre à Mme Du Deffand, que Mme Du Châtelet écrivit un commentaire sur la Bible «d'un bout à l'autre», «contre tous ces faquins-là». Ces deux lettres datent de 1759, l'année où Voltaire écrivit son éloge de Mme Du Châtelet. Une légende s'est créée par la suite autour de ce commentaire : Turgot et Condorcet croyaient le lire en juin 1772[1], et Grimm, dans la *Correspondance littéraire*, en 1776, imaginait que *La Bible enfin expliquée* que Voltaire venait de publier était la transcription des réflexions sur l'Histoire sainte faites, «chacun à sa manière», par Mme Du Châtelet et Voltaire, lors de leurs petits déjeuners à Cirey. Malheureusement, les deux témoignages de Voltaire ne s'accordent pas entièrement ; certains éléments de la légende connue de Turgot et de Condorcet sont peu vraisemblables ; *La Bible enfin expliquée* a été rédigée bien après la mort de Mme Du Châtelet et, enfin, aucune copie d'un commentaire sur la Bible de sa façon n'a jamais été trouvée parmi les papiers de Voltaire. On ne peut que rechercher, parmi les «manuscrits clandestins», traités iconoclastes anonymes qui circulaient parmi les libres-penseurs, un texte qui commente la Bible «d'un bout à l'autre», qui soit assez anticlérical pour avoir été écrit «contre tous ces faquins-là», et qui semble être le travail d'une femme ayant les qualités intellectuelles et humaines de Mme Du Châtelet, abstraction faite de celles déduites du texte en question.

Adrien-Jean-Quentin Beuchot a identifié dans la vente Augier de 1829 un tel manuscrit qui sera acquis par la bibliothèque municipale de Troyes[2], et personne n'a encore trouvé de meilleur candidat comme auteur que Mme Du Châtelet. Deux autres copies ont été identifiées depuis : l'une est à la Bibliothèque royale, à Bruxelles[3], l'autre dans une collection privée[4] (voir notice n° 170). Dans la copie de Paris (II. 348), le commentateur des Actes des Apôtres VIII, 33 parlant de la mort, s'estimerait «fachéé [...] d'en être déli-vréé» comme le fut Jésus, avec les é finaux biffés par le copiste ou par un lecteur désireux de déguiser des accords qui risquaient de compromettre l'anonymat de l'auteur. L'auteur s'excuse : «Mais je dirai, comme à M. de Voltaire, *Ce n'est pas ma faute*» (I. 486), expression employée plusieurs fois par Voltaire, ce qui semble trahir une intimité avec le poète célèbre. La copie

1 *Correspondance inédite*, éd. Charles Henry, Lettres LXVII et LXVIII. 2 Ms 2376-2377, 6 vol. in-12. 3 Ms 15188-15189, 2 vol., in-4°. 4 2 vol. in-4°.

de Paris est ouverte à la page ii. 56-57, où l'auteur compare la guérison de l'hémorroïsse de Matthieu ix, 18-26 avec la guérison moins que miraculeuse à son avis d'une certaine M^me «Laporte» (en fait, Anne Charlier, épouse La Fosse), en 1725, guérison survenue après le passage d'une procession du Saint-Sacrement. La description de l'hémorragie de M^me La Fosse est d'une précision anatomique telle que les informations de l'auteur ne pouvaient provenir que du chirurgien qui l'avait traitée avant sa guérison, un certain «Sr Prouhet», ou du curieux M. de Voltaire qui, selon Mathieu Marais[5], avait examiné la miraculée chez lui («mettre le doigt comme saint Thomas, dans le côté») après sa guérison, ce qui est confirmé en partie par la lettre du 20 août 1725 de Voltaire à Marguerite Madeleine Du Moutier.

L'objet de ces *Examens* est de démontrer que la Bible est ridicule quand elle n'est ni incohérente, ni scientifiquement incorrecte ou scabreuse. Les contradictions entre le Pentateuque et les Prophètes antérieurs d'une part, et de ceux-ci avec les livres des Chroniques d'autre part, sont explorées avec rigueur, comme le sont celles entre les Évangiles. La Bible y est lue, en latin, pour son sens littéral et direct, les interprétations allégoriques et surtout apologétiques étant rejetées comme arbitraires ; les erreurs en sciences naturelles et en histoire sont signalées. L'humanité de Jésus, visible dans sa peur, sa faim, ses prétendus rapports sexuels avec Marie Madeleine et le beau saint Jean, est vivement appréciée, mais tout ce qui est miraculeux, et en particulier sa résurrection, est nié comme légende sans fondement historique ou comme imposture, tandis que le mystère de la coexistence de cette humanité et de sa divinité échappe complètement à M^me Du Châtelet. La transcendance du pouvoir de Dieu et de sa justice, exprimée dans la parabole de Job, lui échappe aussi. En somme, les *Examens de la Bible* sont un réquisitoire astucieux contre la Bible, réquisitoire parfois burlesque, souvent obtus, mais toujours rigoureux.

On sait aussi que l'auteur de ces *Examens* a lu les six *Discourses* de Thomas Woolston, car, bien que ni leur titre ni leur auteur ne soient jamais mentionnés, ils y ont laissé des traces indéniables. Un manuscrit comprenant une adaptation des six *Discourses*, «Extrait d'un livre intitulé *Discours sur les miracles de Iésus* traduit de l'anglois», est conservé à la Bibliothèque nationale de Russie de Saint-Pétersbourg[6]. Dans ce texte («Discours deuxième»), il est question de M^me La Fosse, sous le nom de Laporte, inconnue de Woolston, mais qui figure dans les *Examens de la Bible* et sous le même nom. On y trouve également plusieurs accords au féminin ainsi que des similarités de style avec les *Examens* qui laissent penser que les deux ouvrages sont de la même plume.

5 *Journal et mémoires*, Paris, 1863, t. III, p. 192.   6 Voltaire 8° 221, f. 236 b-371 b.

## 170

**Commentaire sur la Bible**
Manuscrit, 2 vol., 564 et 541 p.,
23 × 18,3 cm
Reliure en maroquin rouge,
ex-libris Du Theil
Collection particulière

Cet ouvrage, rédigé vers 1742, est
composé d'un « Examen » de chaque
livre de l'Ancien et du Nouveau
Testament, d'où le titre moderne
d'« Examens de la Bible », mais il n'a
pas de titre authentique. La copie de
Troyes n'a pas de titre ; celui-ci porte
« Commentaire sur / la Bible par
Voltaire », mais il semble être d'une
autre main que le corps du texte,
et les titres de la copie de Bruxelles,
*Examen de l'Ancien Testament* et
*Examen du Nouveau Testament*, ne
figurent que sur la reliure. L'attribution
de la copie de Troyes à M^me Du
Châtelet repose sur une annotation
marginale qui donne l'impression
d'être le fait du libraire qui l'a mise
en vente. B. E. S.

## 171

*Mandement de son Éminence
Mgr le cardinal de Noailles,
archevesque de Paris, à l'occasion
du miracle opéré dans la paroisse
de Sainte-Marguerite le 31 may [...]*
Paris, J.-B. Delespine, 1725
BNF, Arsenal, 4-H-15336

M^me La Fosse, la miraculée
à qui M^me Du Châtelet a comparé
l'hémorroïsse de Matthieu ix, 18-26,
avait bien valu un mandement
à l'archevêque de Paris faisant
la même comparaison et décrétant
qu'un *Te Deum* devait être chanté
à Notre-Dame. Voltaire décrit son
rôle dans l'affaire avec l'ironie qui
le caractérisera plus tard : « Je sers
dieu et le diable tout à la fois assez
passablement. J'ai dans le monde un
petit vernis de dévotion que le miracle
du faubourg s^t Antoine m'a donné.
La femme du miracle est venue
ce matin dans ma chambre. [...]
Monsieur le Cardinal de Noailles a fait
un bau [*sic*] mandement à l'occasion
du miracle, et comble (ou d'honneur,
ou de ridicule), je suis cité dans le
mandement. » (20 août 1725.) B. E. S.

170

## 172

Sauveur-François Morand
**« Description d'un hermaphrodite
que l'on voyait à Paris en 1749 »**
Dans *Mémoires de l'Académie royale
des sciences*, 1750 (1754), p. 109-112
BNF, Arsenal, NF 17961

La curiosité pour la physiologie
sexuelle dont témoigne l'intérêt
de Voltaire et de M^me Du Châtelet
pour les hémorragies vaginales de
M^me La Fosse était loin d'être
unique. La décence du jargon
de l'anatomiste a permis, quelque
vingt-cinq ans plus tard, qu'on
expose les particularités du sexe
d'un jeune hermaphrodite. B. E. S.

## 173

Louis Basile Carré de Montgeron
*La Vérité des miracles
de M. de Paris démontrée*
[Utrecht], 1737
BNF, Arsenal, 4-T-1588 (1)

De Louis Basile Carré
de Montgeron M^me Du Châtelet
dit : « On ne peut, par exemple,

avoir des miracles mieux avérez
que ceux de M. Paris dont
M. de Montgeron présenta
il y a 5 ou 6 ans un recueil au roy,
et ce M. de Montgeron auroit
volontiers souffert le martyre pour
en prouver la vérité. » (*Examens de la
Bible*, II. 57.) L'ouvrage contient des
gravures montrant plusieurs dames
exposant leurs plaies ou leur
paralysie. Contrairement à Voltaire
et à Sauveur Morand, à la fois
savants et curieux, Mᵐᵉ Du Châtelet
n'était pas curieuse mais, se croyant
déjà experte dans le domaine de
la sexualité féminine et de ses
dérangements éventuels, elle se
permettait de décrire la maladie
de Mᵐᵉ La Fosse avec précision et
sans coquetterie : « Dans les pertes
de sang, ce n'est pas la perte
elle-même qui est dangereuse,
mais l'ulcère qui en est une suite,
or la femme du Faubourg Sᵗ Antoine
n'avoit pas d'ulcère ; c'est ce qui est
prouvé. » (*Examens de la Bible*,
II. 57.) Après tout, avoir eu un mari
et plusieurs amants et avoir
accouché de trois enfants
constituait une éducation pratique
en physiologie féminine que
n'avaient ni Voltaire ni Morand, ni
les anatomistes qui avaient examiné
Mᵐᵉ La Fosse. B. E. S.

### 174
Voltaire
**La Bible enfin expliquée
par plusieurs aumôniers
de S. M. L. R. D. P.**
(S. M. L. R. D. P. : Sa Majesté le roi
de Pologne ou de Prusse)
Londres (Amsterdam, M.-M. Rey), 1776
BNF, Réserve des livres rares,
Z Bengesco- 362

Grimm a suggéré dans sa
*Correspondance littéraire* que
ces deux ouvrages, *La Bible enfin
expliquée* et le « Commentaire sur la
Bible » de Mᵐᵉ Du Châtelet, étaient
le fruit des lectures de la Bible par
le couple de philosophes à Cirey,
et des discussions que ces lectures
avaient provoquées lors des petits
déjeuners. Depuis la découverte
des *Examens de la Bible*, on pensait

trouver des emprunts d'un texte
à l'autre. En fait, *La Bible enfin
expliquée* contient beaucoup
de traces de livres publiés après
la mort de Mᵐᵉ Du Châtelet,
mentionne des personnages qui
ne furent connus qu'après 1750, et
exploite des lectures de classiques
de la critique biblique que
Mᵐᵉ Du Châtelet ne connaissait
pas de première main. B. E. S.

### 175
Augustin Calmet
**Commentaire littéral sur tous les
livres de l'Ancien et du Nouveau
Testament**
Paris, P. Émery, 1707-1716
BNF, Arsenal, 4-T-260

Dom Calmet était lié à la famille
du marquis Du Châtelet car il avait
rédigé une *Histoire généalogique
de la maison Du Châtelet, branche
puînée de la maison de Lorraine*.
Mᵐᵉ Du Châtelet eut l'occasion
de lui adresser plusieurs lettres
amicales. Calmet fut fréquemment
la cible de l'ironie de Voltaire
en raison de sa naïveté et de
sa crédulité, mais, peut-être
consciente de ce qu'elle devait
à ses recherches et que
« interprètes », Mᵐᵉ Du Châtelet fut
plus indulgente : « [Calmet] est
aussi raisonnable qu'il est permis
à un moine de l'être, et […]
l'est quelquefois même plus qu'on
oserait l'espérer. » (*Examens de la
Bible*, II. 515.) Il est clair que Calmet
et Thomas Woolston sont les seules
véritables sources de ses *Examens
de la Bible*. B. E. S.

### 176
Thomas Woolston
**A [-Sixth] Discourse on
the Miracles of our Saviour**
London, printed by the author
and sold by him, 1727-1729
BNF, Arsenal, 8-T-9938

Cette série de six traités par Thomas
Woolston (1669-1733) est une autre
source des *Examens de la Bible*.
Woolston prétendait que les miracles
attribués à Jésus par les évangiles

n'avaient pas été vraiment accomplis
par lui. Il affirmait que chacun avait
un sens moral ou mystique, comme
l'avaient déjà soutenu Origène
et plusieurs autres Pères, et que
c'était celui-là qu'il fallait retenir.
On constate chez lui la fusion d'une
critique rationaliste et morale des
évangiles avec un engagement
théologique très fort. B. E. S.

### 177
Richard Simon
a. **[Histoire critique du vieux
testament]**
[Paris], [Vve Billaine], [1678]
Annotations de l'évêque
Pierre-Daniel Huet
BNF, Réserve des livres rares,
Rés. A 3498

b. **Histoire critique du texte
du nouveau testament**
Rotterdam, Reinier Leers, 1689
BNF, Arsenal, 4-T-504

Deux auteurs hantent les *Examens
de la Bible* : Pascal et l'oratorien
Richard Simon (1638-1712).
Alors que Pascal était un auteur
qu'il fallait réfuter, comme l'avait
fait Voltaire dans les *Lettres
philosophiques* (XXV), l'expertise de
Simon en philologie hébraïque et
en critique de texte, ainsi que ses
connaissances sur la transmission
manuscrite des livres de la Bible,
le rendaient indispensable. Son
indépendance vis-à-vis de l'autorité
de l'Église de son temps en faisait le
contrepoids de Calmet, lequel pliait
toujours devant elle. Il se peut que
Mᵐᵉ Du Châtelet ne connût Pascal
que par la vingt-cinquième des
*Lettres philosophiques*, mais il est
presque sûr qu'elle ne connaissait
Simon que par réputation et à partir
des réfutations que Calmet avait
publiées dans son *Commentaire
littéral*. B. E. S.

Vera Effigies AUGUSTINI CALMET Abbatis Senonensis.
Ætatis LXXXVI. Ann.

179

## 178

*Les Mille et Une Nuit (sic)*
Traduction d'Antoine Galland
Paris, Claude Barbin, 1704-1717
Ex-libris gravé de Pierre-Daniel Huet
BNF, Littérature et Art, Y2-8921, t. I

M^me Du Châtelet connaissait
les principaux auteurs latins,
le théâtre, l'opéra et la poésie
française de son temps, mais elle
n'avait pas le profil d'une érudite,
comme Anna-Maria van Schurman.
Ses lectures préférées semblent
avoir été celles de la nurserie,
les *Contes* de Perrault et surtout
*Les Mille et Une Nuit*,
qu'elle invoque à plusieurs
reprises au cours des *Examens
de la Bible* comme modèle
d'extravagance légendaire auquel
la Bible doit très souvent être
comparée. **B. E. S.**

## 179

Tauber
*Vera effigies Augustini Calmet
aetatis LXXXVI Ann.*
Par Tauber, 35 × 21 cm
BNF, Estampes et Photographie, N2

On remarque à l'arrière-plan de
ce portrait de dom Calmet le livre
qu'il avait consacré à la généalogie
de la maison Du Châtelet.

## Autres œuvres

## 180

Bernard de Mandeville
**The Fable of the Bees, or Private
Vices, Publick Benefits**
With an *Essay on Charity and
Charity-Schools, and an Search
into the Nature of Society*
London, J. Tonson (J. Roberts),
1728-1729
BNF, Littérature et Art, YK-3162

Émilie s'était remise à l'étude de
l'anglais avec Voltaire. S'intéressant
aussi à la morale, elle choisit de
traduire ce « Montaigne des

anglais », y ajoutant des réflexions
personnelles, collaborant
étroitement avec Voltaire
sur des textes métaphysiques
et scientifiques. En avril 1736,
elle écrit à Algarotti : « Je traduis
the fable of the bees de Mandeville ;
c'est un livre qui mérite que vous
le lisiez […] ; il est amusant et
instructif. »
Le manuscrit de sa traduction
a été conservé dans la bibliothèque
de Voltaire.

## 181

M^me Du Châtelet
*Réflexions sur le bonheur*
Manuscrit calligraphié imitant l'imprimé,
19 × 12 cm
Paris, bibliothèque Mazarine, Ms 4344

Seule œuvre personnelle de
M^me Du Châtelet, composée,
pense-t-on, entre 1744 et 1746,
au moment de la crise dans ses
relations avec Voltaire, le *Discours
sur le bonheur* est une œuvre dont
on a longtemps mal jugé la grande
franchise. Longchamp assure

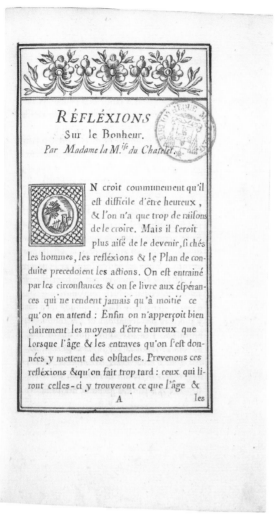

181

son goût, j'ai été longtemps sans m'en apercevoir : j'aimais pour deux ; je passais ma vie entière avec lui, et mon cœur, exempt de soupçons, jouissait du plaisir d'aimer et de l'illusion de se croire aimé. Il est vrai que j'ai perdu cet état si heureux, et que ce n'a pas été sans qu'il m'en ait coûté bien des larmes. »

182
**Recueil de poésies**
Manuscrit composé de poésies rassemblées par M$^{me}$ Du Châtelet, 23 × 18 cm, 264 f.
De la bibliothèque de Lord Crewe, 2$^{nd}$ Baron Houghton
Collection particulière

Une note au début du manuscrit assure que : « Ce Recueil a appartenu à la célèbre Émilie de Voltaire, la Marquise Du Chastellet ; (c'est ainsi que ce nom doit être écrit.) Il a été indubitablement formé sous ses yeux, et d'après sa direction : on y remarque quelques pièces inédites, depuis la page 244. La marquise a écrit elle-même la table. Le petit nombre de notes autographes qu'elle a mises en marge de quelques morceaux ajoute à l'intérêt que le recueil mérite par lui-même. Voir notamment une note piquante sur M. de Bragelongne que Saint-Aulaire avait placé sur la même ligne que Mairan, p. 344. Le manuscrit est paginé, de la main de Mde du Chastellet, depuis le feuillet 291. Elle-même a supprimé les feuillets 511 et 513, en ajoutant de sa main les quatre derniers vers du *Procès du fard*, et les trois premiers de l'Églogue de *Daphnis et Palémon*. » J. P. L.

qu'elle en confia le manuscrit à Saint-Lambert qui l'aurait laissé circuler. On en connaît plusieurs copies manuscrites plus ou moins fautives. Il fut publié pour la première fois en 1779. Elle s'y montre très épicurienne : « Il faut pour être heureux, s'être défait des préjugés, être vertueux, se bien porter, avoir des goûts et des passions, être susceptible d'illusions, car nous devons la plupart de nos plaisirs à l'illusion, et malheureux est celui qui la perd. […] On n'est heureux que par des goûts et des passions satisfaites. » Elle se laisse aller aussi à des confidences : « J'ai été heureuse pendant dix ans par l'amour de celui qui avait subjugué mon âme, et ces dix ans, je les ai passés tête à tête avec lui, sans aucun moment de dégoût et de langueur. Quand l'âge et les maladies ont diminué

## La bibliothèque de M^me Du Châtelet

Danielle Muzerelle

L'inventaire après décès de M^me Du Châtelet fait à Paris est très bref en ce qui concerne la bibliothèque : comme souvent, les notaires ont regroupé les ouvrages en neuf lots, soit 274 volumes estimés 302 livres. Les quelques titres donnés, *Méthode de Descartes*, *Histoire de l'Académie des sciences*, *Physique de Neuvton*, *Philosophie de Neuton*, ou *Géométrie de Rivart* montrent bien une bibliothèque de travail. À Cirey, M^me Du Châtelet constitua avec Voltaire une bibliothèque que ce dernier, qui l'avait financée, récupéra après la disparition de la marquise. Nombre de livres de sa bibliothèque conservée maintenant à Saint-Pétersbourg portent des notes de son amie : ainsi le *Commentaire sur la Bible* de dom Calmet contient des signets avec des mentions de sa main en anglais ; on en trouve aussi dans des ouvrages de Platon, Homère, Descartes, Malebranche… L'inventaire de Lunéville détaille les livres en la possession d'Émilie au moment de sa mort : des traités de mathématiques et de physique, les *Oraisons funèbres* de Bossuet, des œuvres de Cicéron, du théâtre grec et, plus curieusement, « deux paires d'heures latines ».

Sa correspondance nous renseigne sur ses nombreuses lectures : elle lit Pope, Montesquieu, mais aussi des pièces de théâtre et des romans à la mode et demande à ses divers correspondants des informations sur les nouvelles parutions. Sa curiosité est vaste et ses goûts éclectiques. Sa bibliothèque étant une bibliothèque de travail et non de prestige, on s'explique l'extrême rareté des livres reliés à ses armes.

184

183
**Lettre de M^me Du Châtelet
à Prault, 16 février 1739**
BNF, Manuscrits, NAF 24339, f. 157-158

M^me Du Châtelet donne au libraire Prault une longue liste des livres qu'elle souhaite recevoir, et elle ajoute : « Je compte beaucoup sur vous pour ma bibliothèque de physique, et je vous enverrai incessamment les livres dont je veux me défaire. » Intéressant renseignement sur ses habitudes en matière de livres et l'usage très pratique qu'elle fait de sa bibliothèque. Elle emprunte également des livres à la Bibliothèque du roi, comme Voltaire. Dans une lettre à Thiériot du 16 janvier 1737, elle se qualifie elle-même de « bibliothécaire exact ».

184
Jean Boivin de Villeneuve
*Apologie d'Homère, et Bouclier d'Achille*
À Paris, chez Jean-François Jouenne, 1715
BNF, Arsenal, Rés 16-Z-20334

Cet exemplaire de l'ouvrage de Boivin de Villeneuve enrichi de notes manuscrites était resté à Cirey et fut donné par le duc Du Châtelet au marquis de Villevielle, ami de Voltaire, qui l'offrit à Jacobsen, l'éditeur des *Pièces inédites*, en 1817. Les nombreuses notes dont M^me Du Châtelet a chargé cette critique de la traduction d'Homère par Houdar de La Motte (1714) – qui avait rallumé une querelle

des Anciens et des Modernes – présentent un autre aspect de sa vaste curiosité intellectuelle.

185
Dordelu Du Fays
*Observations historiques sur la nation gauloise [...] avec l'établissement des Galates en Asie [...]*
Paris, Giffart fils, 1746
Collection particulière

Exemplaire de dédicace à M^me Du Châtelet, relié en maroquin olive à ses armes accolées, Breteuil et Du Châtelet.

186
**Ouvrages cités dans la bibliothèque de M^me Du Châtelet**

a. *Recherches sur l'origine des idées que nous avons de la beauté et de la vertu, en deux traités, le premier, sur la beauté, l'ordre, l'harmonie et le dessein ; le second, sur le bien et le mal physique et moral*
[Par F. Hutcheson]
*Traduit sur la 4e édition angloise*
[par M.-A. Eidous, G. Laget ou E. Bonnot de Condillac]
Amsterdam, 1749
BNF, Arsenal, 8-S-1010

b. *Théorie des sentimens agréables, où après avoir indiqué les règles que la nature suit dans la distribution du plaisir, on établit les principes de la théologie naturelle et ceux de la philosophie morale*
[Par L.-J. Levesque de Pouilly]
Paris, 1748
BNF, Arsenal, 8-S-1408

c. *Polissonniana, ou Recueil de turlupinades, quolibets, rebus [...] et autres plaisanteries, avec les Équivoques de l'homme inconnu et la liste des plus rares curiositez*
[Par l'abbé C. Cherrier]
Amsterdam, H. Schelte, 1725
BNF, Arsenal, 8-BL-33374

d. *Discours sur les différentes figures des astres, où l'on donne l'explication des taches lumineuses qu'on a observées dans le ciel, des étoiles qui paroissent s'allumer et s'éteindre, de celles qui paroissent changer de grandeur[...]*
Par M. de Maupertuis, 2e édition
Paris, G. Martin, 1742
BNF, Arsenal, 8-S-13638

e. *Traité des sistèmes, où l'on en demêle les inconvéniens et les avantages*
Par l'auteur de l'« Essai sur l'origine des connoissances humaines »
[l'abbé de Condillac]
La Haye, Neaulme, 1749
BNF, Arsenal, 8-S-708

f. *Le Doyen de Killerine, histoire morale composée sur les Mémoires d'une illustre famille d'Irlande [...]*
Par l'auteur des « Mémoires d'un homme de qualité » [l'abbé Prévost]
Paris, Didot, 1735-1740
BNF, Arsenal, 8-BL-20254

Quelques exemples de livres que la marquise possède au moment de sa mort à Lunéville. Presque tous les livres cités dans l'inventaire sont des parutions récentes.

## Académies et femmes savantes

Danielle Muzerelle

Quand elle est à Paris, M^me Du Châtelet fréquente assidûment les membres de l'Académie des sciences – du parti newtonien surtout –, comme Buffon ou La Condamine. Elle soupe régulièrement avec eux et va aux séances – c'est alors tout ce qui est permis à une femme. Dans une lettre adressée à Helvétius le 3 octobre 1739, Buffon montre qu'il apprécie la marquise : « Si je n'étais avec M^me Du Châtelet je voudrais être à Montbard. »

**187**
*De Bononiensi scientiarum et artium Instituto atque Academia commentarii*
Bononiae, Laellia Vulpe, 1731
BNF, Arsenal, 4-H-8302 (1)

Au cours du XVIII<sup>e</sup> siècle, les universités et les académies françaises et anglaises n'étaient pas accessibles aux femmes. Certaines institutions italiennes, au contraire, acceptaient les « femmes savantes » parmi leurs membres. En ce sens, l'Académie des sciences de l'institut de Bologne et l'antique université de cette ville se démarquèrent tout particulièrement. M<sup>me</sup> Du Châtelet fut élue à l'unanimité et inscrite sur le registre des membres de l'académie bolognaise le 1<sup>er</sup> avril 1746. Dans sa lettre de remerciements au secrétaire de l'Académie, elle considère sa nomination comme « un encouragement aux […] personnes de [son] sexe ». Le choix de l'académie italienne doit être situé dans la politique culturelle du pape Benoît XIV (1740-1758), défenseur d'un « catholicisme éclairé » ouvert à la nouvelle philosophie naturelle et orienté sur la relance des institutions culturelles bolognaises. La nomination de M<sup>me</sup> Du Châtelet fut soutenue par le frère mineur François Jacquier, traducteur des *Principia* de Newton en latin. Cela révèle aussi bien l'appréciation des catholiques éclairés à l'égard de l'approche de M<sup>me</sup> Du Châtelet des théories newtoniennes que leur refus d'associer la masculinité aux capacités scientifiques et mathématiques, signe d'un matérialisme inacceptable. **M. M.**

**188**
**Laura Bassi**
Gravure anonyme, 19 × 13,5 cm
BNF, Estampes, N2 Veratti

M<sup>me</sup> Du Châtelet attacha une très grande importance à sa nomination à l'Académie des sciences de Bologne et en parla fréquemment. Les femmes de science italiennes

188

comme Laura Bassi ou Maria Gaetana Agnesi lui étaient un exemple.
« Non verra dunque mai il bel giorno nel quale jo potero radunare insieme la signora Bassi col la signora du Chastelet », écrit Voltaire à Laura Bassi le 1<sup>er</sup> mars 1745.

**189**
**Lettre de M<sup>me</sup> Du Châtelet à Cideville, 19 août 1746**
Sur papier de deuil
Rouen, archives de l'Académie des sciences, belles-lettres et arts de Rouen, C 31, f. 77-78

« Je m'intéresse trop à la gloire de mon sexe pour n'avoir pas pris beaucoup de part à la sienne [M<sup>me</sup> Du Bocage]. Je suis ravie qu'une Académie fondée dans un pays si rempli de talents et d'esprit ait commencé sa carrière par nous

rendre justice. Il faudrait que l'Académie de Rouen fît pour madame Du Bocage ce que l'institut de Bologne a bien voulu faire pour moi. »

**190**
John Milton
*Le Paradis terrestre*
*Poème imité de Milton, par Madame D. B*** [Du Bocage]*
Londres, 1748
Ex-dono manuscrit de l'auteur à M<sup>me</sup> Du Châtelet
BNF, Réserve des livres rares, 8-Ye-2431

Le 12 octobre 1749, après la mort de son amie, Voltaire, dans une lettre désespérée, écrit à M<sup>me</sup> Du Bocage que M<sup>me</sup> Du Châtelet « faisait, comme vous, la gloire de son sexe et de la France » et il lui rappelle : « Nous avions lu ensemble votre Milton avec l'anglais. »

## Regards sur M^me Du Châtelet

Danielle Muzerelle

Les prétentions intellectuelles de M^me Du Châtelet – tout comme sa vie libre – lui attirèrent souvent les sarcasmes de ses contemporains. Néanmoins, de nombreux témoignages nous indiquent que ses mérites furent tôt reconnus : ainsi sa mention, au même titre que Pemberton, 's Gravesande, Whiston, Jacquier, Le Seur et MacLaurin, dans l'article « Newtonianisme » de l'*Encyclopédie* en 1779. Après sa mort, elle est citée avec éloge dans la plupart des dictionnaires d'hommes et de femmes célèbres et son effigie apparaîtra dans des séries iconographiques consacrées aux femmes illustres, sur des services de la manufacture de porcelaine de Sèvres par exemple, ou sur des images destinées à l'éducation. Cette figure féminine exceptionnelle fascine très tôt d'autres femmes qui voient en elle un précurseur : citons Louise Colet, l'amie de Flaubert, qui lui consacra un livre, ou Nancy Mitford.

---

191
Gabriel Jacques de Saint-Aubin
(1724-1780)
**Études pour les statues de
M^me Du Châtelet et de Voltaire**
1770
Pierre noire et crayon de graphite,
16,5 × 9 cm
Paris, musée du Louvre, département
des Arts graphiques, RF 52445

La marquise Du Châtelet est ainsi représentée : « Une femme posée sur un piédestal comme une statue. Elle a sur les épaules un mantelet de dentelles qui s'ouvre et laisse voir un corsage et une jupe de dessous à laquelle est attachée une grosse montre. D'une main, elle tient une plume, de l'autre, un papier qui porte écrit : Institutions de physique. [...] Sur un piédestal à côté [...], le dessinateur n'a pas eu le temps de dessiner la statue du grand homme qui flotte dans un contour à peine visible. »

192
Nicolas André Courtois (1734-1806)
**Portrait présumé
de M^me Du Châtelet**
D'après Marianne Loir

192

Seconde moitié du xviii^e siècle
Miniature ovale, 3,5 × 2,8 cm
Paris, musée du Louvre, département
des Arts graphiques, RF 4278

193
**Recueil de pièces, pour la plupart
en vers**
Manuscrit du xviii^e siècle
375 pages, en 9 cahiers, 22 × 17 cm
BNF, Arsenal, Ms 4846, p. 112-113

Les nombreuses mentions de M^me Du Châtelet dans les recueils de nouvelles à la main et de pièces diverses rassemblés au xviii^e siècle, comme ces épitaphes et parodies d'épitaphes, montrent les opinions contradictoires qu'elle suscitait. Dans ses *Nouvelles littéraires* d'octobre 1749, l'abbé Raynal écrit : « La mort de M^me Du Châtelet a causé beaucoup de bruit sur notre Parnasse. Cette dame, si célèbre dans les pays étrangers, avait ici beaucoup plus de censeurs que de partisans. Elle avait composé les *Institutions de physique* avec un Allemand, homme de mérite, qu'elle avait mis auprès de son fils, et elle était occupée, avec M. Clairaut, à un ouvrage sur Newton, lorsqu'elle s'est vue arrêtée au milieu de sa course. Le caractère propre de M^me Du Châtelet était d'être extrême en tout. »

AEMILIA DE BRETEUIL
CONJUX MARCHIONIS DU CHATELET

AEMILIA BRETEVILIA
CONIVX MARCHIONIS
DV CHATELLET.

197

194
**Bibliothèque impartiale, pour les mois de janvier et février 1752**
Tome V, première partie
À Leide, 1752
BNF, Arsenal, 8-H-26370 (1)

Première édition de *L'Éloge historique de madame du Châtelet* que Voltaire composa en 1751. Elle est accompagnée de cette note : « Comme l'édition de l'ouvrage posthume de Mᵐᵉ Du Chastellet se fait trop attendre, on a obtenu de M. de Voltaire la permission de placer ici ce morceau digne d'elle et de lui. » Cet éloge devait être mis à la tête de la traduction de Newton.

195
Julien Offray de La Mettrie
**Histoire naturelle de l'âme**
*Traduite de l'anglois de M. Charp, par feu M. H\*\*\* [Hunauld]*
*Nouvelle édition, revue fort exactement,*

*corrigée de quantité de fautes qui s'étaient glissées dans la première, et augmentée de la lettre critique de M. de La Mettrie à Madame la marquise Du Chatelet [sic]*
Oxford, aux dépends de l'auteur, 1747
BNF, Arsenal, 8-S-1195

L'ouvrage débute par un éloge de Mᵐᵉ Du Châtelet, qui fut probablement en relation avec l'auteur.

196
**Histoire de Mˡˡᵉ d'Attily**
*Par Mᵐᵉ de \*\*\*, dédiée à Mᵐᵉ la marquise Du Chatelet [sic]*
La Haye, J. Neaulme, 1745
BNF, Arsenal, 8-BL-20936

« Cette épître est l'hommage d'une femme qui se croit obligée de vous remercier des services que vous rendez à son sexe, le lustre que vous nous donnez par vos lumières. »

Attribué à Mᵐᵉ de Lintot, ce roman serait d'après Mᵐᵉ de Graffigny, qui assure en avoir vu le manuscrit, de Mᵐᵉ de Champbonin, la fidèle amie de Cirey.

197
Jacob Brucker
**Pinacotheca scriptorum nostra aetate literis illustrium**
*Exhibens auctorum eruditionis laude scriptisque celeberrimorum, qui hodie vivunt, imagines et elogia. Vitas, scripta, literarum merita recensuit Jacobus Bruckerus, […] imagines ad archetypa aere accurate expressit Joannes Jacobus Haidius, […] Augustae Vindelicorum,*
apud J. J. Haidium, 1741-1755
BNF, Arsenal, Fol-H-4925 (1)

Dans une lettre à Bernoulli du 9 mars 1745, Mᵐᵉ Du Châtelet se montra flattée d'être citée dans la « Décade » d'Augsbourg parmi les plus grands savants de son temps.

198
Ternisien d'Haudricourt
*Femmes célèbres de toutes les*
*nations avec leurs portraits [...]*
II – Madame la Marquise du Chatelet [...]
Paris, Ternisien d'Haudricourt / Gattey,
1788
BNF, Arsenal, 4-H-9008 (1)

Avec un portrait ovale par Monnet
d'après Marianne Loir.

199
*Madame Du Châtelet*
Gravure de L. S. Lempereur d'après
Monnet, accompagnée d'une biographie
Dans : *Galerie française ou portraits des*
*hommes et des femmes célèbres qui ont*
*paru en France [...] par une Société*
*de Gens de lettres*
Paris, Hérissant, 1771-72
BNF, Arsenal, Fol-H-5044 (1)

« Parmi les femmes de notre Nation
qui se sont rendues célèbres par
leurs écrits, la marquise du Châtelet
doit sans contredit tenir le
premier rang. »

M.<sup>me</sup> DU CHASTELET.

Monnet del.                                    Lempereur Sculp.

# Madame Du Châtelet et les historiens
Judith P. Zinsser

De son vivant, Émilie de Breteuil fut célébrée par l'élite masculine de ses contemporains comme une «vraie femme savante» et un génie. On traduisit ses *Institutions de physique* – publiées à Paris en 1740 – en italien et en allemand, en soulignant l'originalité de la synthèse qu'elle fit de la «méthode» de Descartes, de la métaphysique de Leibniz et de la dynamique de Newton. Ce travail, ainsi que son plaidoyer pour la *vis viva* (notre concept moderne de «force vive») en réponse aux attaques de Dortous de Mairan, le secrétaire perpétuel de l'Académie des sciences nouvellement élu, lui valut une place de choix dans la république des lettres du XVIII$^e$ siècle. La publication, en 1759, de sa traduction des *Principia* de Newton et de son commentaire sur le système de l'univers selon ce dernier lui valurent l'approbation des auteurs de l'*Encyclopédie*, dont l'article «Newtonianisme» la place parmi les sept mathématiciens et physiciens éminents qui ont rendu l'œuvre de Newton accessible et plus facile à comprendre.

M$^{me}$ Du Châtelet continua à figurer dans les dictionnaires biographiques d'hommes et de femmes de science jusqu'au milieu du XIX$^e$ siècle. Peu à peu, cependant, on déforma l'histoire de sa vie privée et son œuvre intellectuelle fut tournée en dérision ou passée sous silence. Bien que Sainte-Beuve[1] eût de l'admiration pour son intelligence et ses talents de mathématicienne, il qualifie son *Discours sur le bonheur* de «sec et positif», et il ajoute : «Il a ce cachet de crudité qui déplaît tant au milieu des meilleures pages du XVIII$^e$ siècle et qui fait que la sagesse qu'on y prêche n'est pas la véritable sagesse». Edmond et Jules de Goncourt[2] se servirent quant à eux de M$^{me}$ Du Châtelet pour personnifier l'aristocrate de la France d'Ancien Régime, immorale, avide de plaisirs, capricieuse, la «femme savante» divertie par ses lectures mais incapable de raisonnements sérieux[3].

Au XX$^e$ siècle, des biographies à l'usage du grand public, celles de Frank Hamel, André Maurel, Nancy Mitford, Samuel Edwards et, plus récemment, celle de Gilbert Mercier, ont mis au centre de leur propos sa liaison de quinze ans avec Voltaire et ont fait un mélodrame de sa mort à l'âge de quarante-deux ans à la suite de la naissance de la fille qu'elle eut d'un poète soldat plus jeune qu'elle, Jean-François de Saint-Lambert. Même des chercheurs ont

---

\* Les références bibliographiques abrégées (titre de l'ouvrage ou nom de l'auteur accompagnés de la date d'édition) renvoient à la bibliographie, p. 122.
**1** Sainte-Beuve [1858-1872]. **2** Goncourt 1887. **3** Le Coat 2006.

minimisé la portée de ses *Institutions* et attribué à son mentor, Alexis Clairaut, son commentaire et sa traduction des *Principes* de Newton. Ce mathématicien, qui lut et commenta l'œuvre de M^me Du Châtelet, n'avait ni le loisir ni le désir d'en être l'auteur[4]. D'autres écrits moins connus de M^me Du Châtelet qui ne circulèrent, comme la littérature clandestine de l'époque, que sous forme manuscrite furent simplement oubliés, en particulier son exégèse de plus de 700 pages de l'Ancien et du Nouveau Testament.

C'est avec les travaux sur l'œuvre de Voltaire, dans les années 1940, qu'on commença à redécouvrir la marquise Du Châtelet et à évaluer selon des critères modernes les nombreuses facettes de sa personnalité et de ses activités. La publication de sa correspondance par Theodore Besterman est à cet égard capitale[5]. Bien qu'elles ne représentent assurément qu'une petite partie de la correspondance de M^me Du Châtelet, les lettres qu'il a retrouvées et publiées laissent entrevoir la complexité de sa vie et de ses centres d'intérêt. Elle écrivit au duc de Richelieu et au comte d'Argental sur Paris et sur la cour. Ses lettres à Maupertuis, à Johann Bernoulli et son fils, et à d'autres mathématiciens, physiciens et «philosophes», tant en France qu'en Angleterre, en Italie, en Suisse et en Allemagne, donnent un aperçu de ses recherches scientifiques. Elle se comporte en parfait courtisan dans ses lettres compassées à Frédéric le Grand. Et l'année qui précéda sa mort, ses billets brefs et ses longues épîtres à Saint-Lambert témoignent de sa résolution d'achever son étude sur Newton et de son désir de vivre auprès de l'homme qu'elle considérait comme le «grand amour» de sa vie.

La publication de cette correspondance a rétrospectivement attiré l'attention sur la description que propose Ira O. Wade des activités de la marquise et de Voltaire à Cirey de 1734 à 1740, et sur sa découverte de manuscrits inconnus jusqu'alors : une traduction libre de *La Fable des abeilles*, de Bernard Mandeville, un essai, *De la liberté*, et un commentaire de la Bible chapitre par chapitre. Traitant de ces années et de ces œuvres, Ira O. Wade met en lumière la fructueuse collaboration entre M^me Du Châtelet et Voltaire sur les questions de religion et de morale. Robert L. Walters, à son tour, a trouvé de nouveaux témoignages de cette collaboration, mais dans le domaine des sciences plutôt que de la philosophie. Son étude comparative des mémoires de Voltaire et de M^me Du Châtelet au concours de l'Académie des sciences de 1738 sur «la nature du feu et sa propagation» révèle que, bien qu'ils aient fait ensemble nombre d'expériences, ils se réclamaient d'autorités différentes et parvenaient à des conclusions différentes. L'édition critique du *Discours sur le bonheur* par Robert Mauzi, parue en 1961, révèle

---

**4** Zinsser 2001 ; Zinsser et Courcelle 2003. **5** Besterman a publié ses lettres en deux volumes et les a de nouveau incluses (avec quelques additions) dans *Correspondence and Related Documents*, 1968-1970.

aux lecteurs modernes une autre des œuvres de la marquise et met en évidence l'originalité de cet essai au sein de ce genre littéraire caractéristique du XVIII^e siècle. William H. Barber, bien que sceptique quant à l'originalité de M^me Du Châtelet, démontre le rôle important qu'elle joua pour faire connaître au public français la métaphysique de Leibniz[6].

Depuis les années 1970, on assiste à une réévaluation continue de sa vie et de ses œuvres par des chercheurs travaillant dans des disciplines très diverses : sciences, philosophie, littérature, histoire de la condition féminine et histoire du siècle des Lumières. Tous visent à replacer ses œuvres non seulement dans le cadre du cercle de Voltaire, mais aussi dans celui, plus large, des «gens de lettres» des premières décennies du siècle des Lumières. Des historiens des sciences tels que Carolyn Merchant, Linda Gardiner, David Bodanis et Sarah Hutton ont souligné l'originalité de sa synthèse des *Institutions de physique* et réfuté l'idée selon laquelle il ne s'agirait là que de la mise en forme de l'œuvre d'un autre ou d'un démarcage[7]. Elisabeth Badinter et Mary Terrall ont analysé le contexte intellectuel dans lequel M^me Du Châtelet écrivait et, par suite, le regard que les hommes de la république des lettres portaient sur sa personnalité exceptionnelle[8]. John Iverson a montré la place qu'elle occupe dans la vie intellectuelle en Allemagne, et Sonia Carboncini a observé l'usage qui a été fait de ses *Institutions* dans les articles de l'*Encyclopédie* relatifs à Leibniz[9]. Des historiens des mathématiques, René Taton, Robert Debever, Antoinette Emch-Dériaz et Gérard Emch, témoignent quant à eux de l'excellence de sa traduction des *Principes* de Newton et de ses compétences en mathématiques[10]. Ces chercheurs, aussi bien que des historiens de la philosophie comme Mary Ellen Waithe et Paul Veatch Moriarty, soulignent que M^me Du Châtelet se refusait à donner des explications mécaniques de l'«ordre de l'univers» selon Newton sans s'interroger en même temps sur les questions métaphysiques sous-jacentes. Comme les cosmologistes du XXI^e siècle, elle pensait avoir formulé une explication cohérente et unifiée du fonctionnement de l'univers, expliquant sa création aussi bien que le fonctionnement des lois de la nature[11]. Les critiques littéraires ont analysé l'usage qu'elle faisait de ses traductions comme moyen de reconnaissance intellectuelle, stratégie familière aux «philosophes» masculins, tel Jean Baptiste Antoine Suard qui, grâce à ses travaux de traduction, fut admis à l'Académie française[12].

**6** Wade 1941; Walters 1967; Mauzi 1961; Badinter 1997; Barber 1967. **7** Merchant 1977; Gardiner 1982; Bodanis 2000; Hutton 2004. **8** Badinter 1999; Terrall 1995 et 2004; Kawashima 1995. *Cirey dans la vie intellectuelle...* 2001. **9** Carboncini 1987. Je remercie John R. Iverson pour ces références. **10** Taton 1969; Debever 1987. **11** Waithe 1991. Alors que le projet de M^me Du Châtelet était de concilier la métaphysique de Leibniz et la mécanique de Newton, les cosmologistes du XXI^e siècle sont convaincus d'avoir réconcilié la théorie de la relativité d'Einstein et la mécanique quantique. **12** Iverson et Pieretti 1998.

Ces recherches de spécialistes sur les écrits de M^me Du Châtelet ont débouché sur de nouvelles biographies. Dans *Émilie, Émilie, l'ambition féminine au XVIII^e siècle*[13], Elisabeth Badinter se penche sur la psychologie d'une femme privilégiée du XVIII^e siècle. René Vaillot, dans une biographie exhaustive[14] et dans la version révisée qu'il en fit pour le *Voltaire en son temps* de René Pomeau[15], voit aussi un conflit entre la femme de raison et la femme de passion[16]. Plus récemment, ceux qui se sont attachés à expliquer ses choix, peu orthodoxes pour une aristocrate française, ont décrit la manière dont elle-même se définissait. Julie Candler Hayes a commenté l'image qu'elle donne d'elle dans les *Institutions* et dans sa réponse aux attaques de Dortous de Mairan. Nous avons quant à nous analysé son autoreprésentation en tant que philosophe, géomètre et physicienne dans ces mêmes œuvres[17].

Très régulièrement, la découverte de nouveaux manuscrits remet en question les anciennes biographies de M^me Du Châtelet. Un des premiers manuscrits du *Traité de métaphysique* de Voltaire découvert dans le fonds des Manuscrits orientaux à Saint-Pétersbourg a amené Andrew Brown et Ulla Kölving à approfondir l'analyse de son dialogue avec Voltaire sur des questions de métaphysique et d'éthique[18]. Bertram E. Schwarzbach a intégré à son édition critique des *Examens de la Bible* le résumé, récemment identifié, qu'elle donne des *Discourses on the Miracles of our Saviour* de Thomas Woolston. Même l'histoire préférée des premiers biographes de M^me Du Châtelet, sa liaison avec Saint-Lambert, est en passe d'être révisée. Désormais, tout travail sur ses dernières années se doit de prendre en compte la liaison de Voltaire avec sa nièce, M^me Denis. La correspondance de M^me de Graffigny, publiée en 2002, laisse entendre qu'Émilie était au courant de cette liaison, que Saint-Lambert lui était vraiment attaché et qu'il fut profondément touché par sa mort. Il faudra donc rectifier l'image que l'on se faisait d'une femme mûrissante harcelant un homme plus jeune qu'elle[19]. Certains préféreront toujours voir M^me Du Châtelet telle que Voltaire la décrivait dans ses lettres à ses amis intimes, dans ses poèmes de circonstance et enfin dans l'«Éloge» qu'il écrivit sur elle en 1752. Selon ses termes, elle était un «génie», un «prodige», «M^me Pompon Newton», «son meilleur ami [*sic*]», un «tyran», «la divine Émilie», sa «muse», une «aimable nymphe», la «déesse de Cirey».

Cette présentation renouvelée de la marquise Du Châtelet aidera sans doute à la découverte d'autres lettres et manuscrits et donnera aux futures générations de chercheurs le désir d'approfondir l'étude de sa vie et de ses écrits.

*Traduit de l'américain par Danielle Muzerelle et l'auteur*

---

**13** Badinter 1983. **14** Vaillot 1978. **15** Pomeau 1985-1995, t. I. **16** À noter aussi la courte biographie (Ehrman, 1986) qui présente la description de toutes les œuvres de la marquise. **17** Hayes 1999 ; Zinsser 2005 ; Harth 1992 ; Bonnel 2000. **18** Brown et Kölving 2003. **19** Graffigny 1985, vol. VII-IX ; Smith, 2004. Voir aussi *Lettres d'amour au marquis de Saint-Lambert*, 1997.

# Éléments de bibliographie

Ne sont cités dans cette bibliographie que les ouvrages essentiels sur Mme Du Châtelet (ouvrages et articles plus récents renvoyant à des bibliographies plus approfondies), ainsi que les ouvrages ou articles utilisés pour la rédaction de ce catalogue

*Académies et sociétés savantes en Europe. 1650-1800* (textes réunis par Daniel-Odon Hurel et Gérard Laudin), Paris, Honoré Champion, 2000.

ALDER (Ken), « Stepson of the Enlightenment. The Duc Du Châtelet, the Colonel who "Caused" the French Revolution », *Eighteenth-Century Studies*, n° 32, 1998.

ALLEN (Lydia D.), « Physics, Frivolity and "Madame Pompon Newton". The Historical Reception of the Marquise Du Châtelet », (Ph. D. diss.), University of Cincinnati, 1998.

**Augarde 1996.** AUGARDE (Jean-Dominique), *Les Ouvriers du temps*, Genève, éditions Antiquorum, 1996.

**Badetz 1991.** BADETZ (Yves), « Une commode retrouvée du cabinet de laque de l'hôtel Du Châtelet », *Revue du Louvre*, 1991.

**Badinter 1983.** BADINTER (Elisabeth), *Émilie, Émilie, l'ambition féminine au XVIIIᵉ siècle*, Paris, Flammarion, 1983.

**Badinter 1997.** DU CHÂTELET (Gabrielle Émilie Le Tonnelier de Breteuil, marquise), *Discours sur le bonheur* (préface d'Elisabeth Badinter), Paris, Payot/Rivages, 1997.

**Badinter 1999.** BADINTER (Elisabeth), *Les Passions intellectuelles*, t. I, *Désirs de gloire. 1735-1751*, Paris, Fayard, 1999.

**Barber 1967.** BARBER (William H.), « Mme Du Châtelet and Leibnizianism. The Genesis of the *Institutions de physique* », dans *The Age of Enlightenment. Studies Presented to T. Besterman*, Édimbourg/Londres, Oliver/Boyd, 1967.

BELLUGOU (Henri), *Voltaire et Frédéric II au temps de la marquise Du Châtelet, un trio singulier*, Paris, M. Rivière et Cⁱᵉ, 1962.

**Bernis 1986.** BERNIS (François-Joachim de Pierres, cardinal de), *Mémoires* (préface de Jean-Marie Rouart, notes de Philippe Bonnet), Paris, Mercure de France, 1986.

BOCQUILLON (Michèle), « Échanger ou (se) donner le change : la correspondance d'Émilie Du Châtelet et de Jean-François de Saint-Lambert », *Lumen*, tome XXIII, 2004.

**Bodanis 2000.** BODANIS (David), *E = mc 2. A Biography of the World's Most Famous Equation* (New York, 2000).

**Bonnel 2000.** BONNEL (Roland), « La "lettre laboratoire", la correspondance scientifique de la marquise Du Châtelet », Oxford, Voltaire Foundation, *SVEC*, 2000, n° 4.

BRETEUIL (Louis Nicolas de), *Mémoires* (préface, notes et commentaire par Évelyne Lever), Paris, François Bourin, 1992.

**Brown et Kölving 2003.** BROWN (Andrew) et KÖLVING (Ulla), « Qui est l'auteur du *Traité de métaphysique* ? », *Cahiers Voltaire*, 2, 2003.

**Carboncini 1987.** CARBONCINI (Sonia), « *L'Encyclopédie* et Christian Wolff : à propos de quelques articles anonymes », *Les Études philosophiques*, n° 4, 1987.

**Cirey dans la vie intellectuelle 2001.** *Cirey dans la vie intellectuelle. La réception de Newton en France* (présentation par François de Gandt), Oxford, Voltaire Foundation, *SVEC*, 2001, n° 11.

**Courajod 1873.** COURAJOD (Louis), *Livre-journal de Lazare Duvaux, marchand-bijoutier ordinaire du roy (1748-1758)*, Paris, Société des bibliophiles français, 1873.

**Daumas 1953.** DAUMAS (Maurice), *Les Instruments scientifiques aux XVIIᵉ et XVIIIᵉ siècles*, Paris, PUF, 1953.

**Debever 1987.** DEBEVER (Robert), « La marquise Du Châtelet traduit et commente les *Principia* de Newton », *Académie royale des sciences, des lettres et des beaux-arts de Belgique*, Bruxelles, Classe des sciences, bulletin, 5ᵉ série, t. 73, n° 12, 1987.

DUBOIS (Jacques), *Le Cabinet de physique et chimie de Chenonceau*, Tours, Société archéologique de Touraine, 1989.

DU CHÂTELET (Gabrielle Émilie Le Tonnelier de Breteuil, marquise), *Examens de la Bible* (Bertram E. Schwarzbach éd.), Paris, Honoré Champion, 2005.

**Du Deffand 1865.** DU DEFFAND (Mme), *Correspondance complète de la Marquise Du Deffand avec ses amis [...] et éclairée de nombreuses notes [...] par M. de Lescure [...]*, Paris, Henri Plon, 1865.

EDWARDS (Samuel), *The Divine Mistress*, New York, David McKay Co., 1970.

**Ehrman 1986.** EHRMAN (Esther), *Madame Du Châtelet*, Leamington Spa, Berg, 1986.

EMCH-DÉRIAZ (Antoinette) et EMCH (Gérard G.), *Is Madame du Châtelet's a Fair Presentation of Newton's Principia ?*, conférence, Xᵉ Congrès international des Lumières, Dublin, 25-31 juillet 1999.

*Émilie Du Châtelet. Rewriting Enlightenment Philosophy and Science* (Judith P. Zinsser et Julie Candler Hayes éd.), Oxford, Voltaire Foundation, *SVEC*, 2006, n° 1.

Judith P. Zinsser and Julie Candler Hayes, « Rereading W. H. Barber » ;
William H. Barber, « Mme Du Châtelet and Leibnizianism : the Genesis of the *Institutions de Physique* » ;

Judith P. Zinsser and Julie Candler Hayes,
« The Marquise as Philosophe »;
John R. Iverson, « A Female Member of the Republic
of Letters : Du Châtelet's Portrait in Bilder-Sal [...]
berühmter Schrifftsteller »;
Marie-Thérèse Inguenaud, « La Grosse et le Monstre :
histoire d'une haine »;
Rémy G. Saisselin, « Portraiture and the Ambiguity
of Being »;
J. Patrick Lee, « "Le Recueil de Poésies" : manuscrit
de M^me Du Châtelet »;
Adrienne Mason, « "L'air du climat et le goût
du terroir" : Translation as Cultural Capital
in the Writings of M^me Du Châtelet »;
Bertram E. Schwarzbach, « M^me Du Châtelet's
Examens de la Bible and Voltaire's La Bible enfin
expliquée »;
Jean-François Gauvin, « Le cabinet de physique
du château de Cirey et la philosophie naturelle
de M^me Du Châtelet et de Voltaire »;
Paul Veatch Moriarty, « The Principle of Sufficient
Reason in Du Châtelet's Institutions »;
Antoinette Emch-Dériaz and Gérard G. Emch,
« On Newton's French Translator : how Faithful
was M^me Du Châtelet ? »;
Barbara Whitehead, « The Singularity
of M^me Du Châtelet : an Analysis of the Discours
sur le bonheur »;
Renaud Redien-Collot, « Émilie Du Châtelet et les
femmes : entre l'attitude prométhéenne et la pleine
assomption du statut de minoritaire »;
Nanette Le Coat, « "Le génie de la sécheresse" :
M^me Du Châtelet in the Eyes of her Second Empire
Critics ».

FEINGOLD (Mordechai), The Newtonian Moment.
Isaac Newton and the Making of Modern Culture,
New York, New York Public Library / Oxford
University Press, 2004.

Françoise de Graffigny, femme de lettres. Écriture et
réception (études présentées par Jonathan Mallinson),
Oxford, Voltaire Foundation, SVEC, n° 12, 2004.

Gardiner 1982. GARDINER (Linda), « Searching
for the Metaphysics of Science. The Structure
and Composition of M^me Du Châtelet's Institutions
de physique, 1737-1740 », SVEC, 1982, p. 201.

Goncourt 1887. GONCOURT (Edmond et Jules de),
La Femme au dix-huitième siècle [...], Paris, Firmin-
Didot, 1887.

Graffigny 1985. GRAFFIGNY (Françoise de),
Correspondance, I-IX (J. Dainard et English Showalter
et alii éd.), Oxford, Voltaire Foundation, Taylor
Institution, 1985-2004.

Grandjean et alii 1975. GRANDJEAN (Serge) et alii, Gold
Boxes and Miniatures of the Eighteenth Century, Fribourg,
Office du livre, coll. « The James A. de Rothschild
Collection at Waddesdon Manor », n° 35, 1975.

HAMEL (Frank), An Eighteenth Century Marquise.
A Study of Émilie du Châtelet and her Times, London,
S. Paul & C°, 1910.

Harth 1992. HARTH (Erica), Cartesian Women. Versions
and Subversions of Rational Discourse in the Old Regime,
Ithaca (NY), Cornell University Press, 1992.

Hayes 1999. HAYES (Julie Candler), Reading the French
Enlightenment, System and Subversion, Cambridge,
Cambridge University Press, coll. « Cambridge Studies
in French », n° 60, 1999.

HUTTON (Sarah), « Women, Science and
Newtonianism : Émilie Du Chatelet Versus Francesco
Algarotti », dans Newton and Newtonianism. New Studies
(James E. Force et Sarah Hutton éd.), Dordrecht,
Kluwer Academic Publishers, coll. « Archives
internationales d'histoire des idées », n° 188, 2004.

Hutton 2004. HUTTON (Sarah), « Émilie Du Châtelet's
Institutions de physique as a Document in the History
of French Newtonianism », Studies in History and
Philosophy of Science, n° 35, 2004.

Iverson et Pieretti 1998. IVERSON (John R.) et PIERETTI
(Marie-Pascale), « Une gloire réfléchie. Du Châtelet et
les stratégies de la traductrice », dans Dans les miroirs de
l'écriture. La réflexivité chez les femmes écrivains d'Ancien
Régime (Jean-Philippe Beaulieu et Diane Desrosiers-
Bonin éd.), Département d'études françaises,
Université de Montréal, coll. « Paragraphes », 1998.

JANIK (Linda Gardiner), « Searching for the Metaphysics
of Science. The Structure and Composition of Madame
Du Châtelet's Institutions de physique (1737-1740) »,
Oxford, Voltaire Foundation, SVEC, 1982.

KAWASHIMA (Keiko), « La participation de Madame
Du Châtelet à la querelle sur les forces vives », Historia
scientiarum, n° 40, 1990, p. 9-28.

KAWASHIMA (Keiko), « Les idées scientifiques de
Madame Du Châtelet dans ses Institutions de physique :
un rêve de femme de la haute société dans la culture
scientifique au siècle des Lumières », Historia
scientiarum, n° 3, 1993.

Kawashima 1995. KAWASHIMA (Keiko), « Madame
Du Châtelet dans le journalisme », Llull, vol. 18, 1995.

KAWASHIMA (Keiko), « Madame Du Châtelet
et Madame Lavoisier, deux femmes de science »,
Revue du musée des Arts et Métiers, mars 1998.

KAWASHIMA (Keiko), « The Issue of Gender and Science :
a Case Study of Madame Du Châtelet's "Dissertation
sur le feu" », Historia scientiarum, n° 1, 2005.

Kisluk-Grosheide 2002. KISLUK-GROSHEIDE (Danielle),
« The Reign of Magots and Pagodes », Metropolitan
Museum Journal, vol. 37, 2002, p. 177-197.

KÖLVING (Ulla), « Deux lettres inédites d'Émilie
Du Châtelet », Cahiers Voltaire, n° 1, 2002.

Lettres d'amour au marquis de Saint-Lambert 1997.
Lettres d'amour au marquis de Saint-Lambert (Anne
Soprani éd.), Paris, Paris-Méditerranée, 1997.

La Lumière au siècle des Lumières (Jean-Pierre Changeux
dir.), Paris, Odile Jacob, 2005.

**Ledoux-Lebard 1968.** LEDOUX-LEBARD (Denise), « La découverte remarquable d'un cabinet complet en laque rouge du XVIIIe siècle », *Connaissance des arts*, n[os] 197-198, juillet-août 1968.

LE LAY (Colette), « Astronomie des dames », *Dix-Huitième siècle*, n° 36, 2004.

LE RU (Véronique), *Voltaire newtonien, le combat d'un philosophe pour la science*, Paris, Vuibert/ADAPT, coll. « Inflexions », 2005.

*Lettres de la marquise Du Châtelet* **1958.** DU CHÂTELET (Gabrielle Émilie Le Tonnelier de Breteuil, marquise), *Les Lettres de la marquise Du Châtelet. 1733-1749* (Theodore Besterman éd.), Genève, Publications de l'Institut et musée Voltaire, série d'études, 3-4, 1958.

LOCQUENEUX (Robert), « Les *Institutions de physique* de Madame Du Châtelet ou un traité de paix entre Descartes, Leibniz et Newton », *Revue du Nord*, t. 77, octobre-décembre 1995, p. 859-892.

**Longchamp 1826.** LONGCHAMP (Sébastien G.), *Mémoires sur Voltaire et sur ses ouvrages, suivis de divers écrits inédits de la marquise du Châtelet, du président Hénault, de Piron, Darnaud Baculard [sic] [...] par Longchamp et Wagnière*, Paris, A. André, 1826.

*Lunéville, fastes du Versailles lorrain* (Jacques Charles-Gaffiot dir.), Paris, D. Carpentier, 2003.

MAGNAN (André), « Mes très chers et très aimables enfants… Une lettre inédite de Voltaire à ses neveux Denis », *Cahiers Voltaire*, 4, 2005.

MAUGRAS (Gaston), *La Cour de Lunéville au XVIIIe siècle. Les marquises de Boufflers et Du Châtelet, Voltaire, Devau, Saint-Lambert, etc.*, Paris, Plon-Nourrit et Cie, 1906.

MAUREL (André), *La Marquise Du Châtelet, amie de Voltaire*, Paris, Hachette, coll. « Figures du passé », 1930.

**Mauzi 1961.** DU CHÂTELET (Gabrielle Émilie Le Tonnelier de Breteuil, marquise), *Discours sur le bonheur* (Robert Mauzi éd.), Paris, Société d'édition Les Belles Lettres, 1961.

**Merchant 1977.** MERCHANT (Carolyn), « Madame Du Châtelet's Metaphysics and Mechanics », *Studies in History and Philosophy of Science 8* (1977).

MERCIER (Gilbert), *Madame Voltaire*, Paris, De Fallois, 2001.

MITFORD (Nancy), *Voltaire in Love*, Londres, Harper and Bros, 1957.

**Morel 1988.** Morel (Bernard), *Les Joyaux de la couronne de France*, Fonds Mercator/Albin Michel, Anvers/Paris, 1988.

**Mouquin 2001.** MOUQUIN (Sophie), *Pierre IV Migeon (1696-1758) au cœur d'une dynastie d'ébénistes parisiens*, Paris, Éditions de l'Amateur, 2001.

PLAVINSKAIA (Nadejda), « Trois lettres d'Émilie Du Châtelet retrouvées dans les archives moscovites », *Cahiers Voltaire*, 4, 2005.

POIRIER (Roger), *Jean-François de Saint-Lambert (1786-1803), sa vie, son œuvre*, Sarreguemines, Pierron, 2001.

**Pomeau 1985-1995.** POMEAU (René), *Voltaire en son temps* (avec la collaboration de l'équipe de Recherches voltairiennes de l'université de Paris-Sorbonne), nouvelle édition intégrale, revue et corrigée, Paris, Fayard, 1995.

PONS (Bruno), *Le Faubourg Saint-Germain, la rue Saint-Dominique. Hôtels et amateurs*, Paris, Délégation à l'action artistique de la Ville de Paris, 1984, p. 150-163.

**Rochebrune 2002.** ROCHEBRUNE (Marie-Laure de), « La passion de madame de Pompadour pour la porcelaine », dans *Madame de Pompadour et les arts*, Paris, Réunion des musées nationaux, 2002.

**Rondot 1999.** *Discovering the Secrets of Soft-Paste Porcelain at the Saint-Cloud Manufactory, ca 1690-1766* (Bertrand Rondot and Bard Graduate Center for Studies in the Decorative Arts éd.) New Haven (CT), Yale University Press, 1999.

**Rondot 2002.** RONDOT (Bertrand), « De la rocaille au goût grec », dans *Madame de Pompadour et les arts*, Réunion des musées nationaux, Paris, 2002.

**Ronfort 1989.** RONFORT (Jean-Nérée) « Science and Luxury : Two Acquisitions by the J. Paul Getty Museum », *The J. Paul Getty Museum Journal*, vol. 17, 1989, p. 47-82.

**Saget 1993.** SAGET (Hubert), *Voltaire à Cirey*, Chaumont, Le Pythagore Éditions, 1993.

**Sainte-Beuve [1858-1872].** SAINTE-BEUVE (Charles), *Causeries du lundi*, Paris, Garnier frères, [1858-1872], t. II, p. 209-225 et 266-285.

SCHWARZBACH (Bertram E.), « Une légende en quête d'un manuscrit : le *Commentaire sur la Bible* de Mme Du Châtelet », dans *De bonne main. La communication manuscrite au XVIIIe siècle* (François Moureau éd.), Oxford/Paris, Voltaire Foundation/ Universitas, 1993.

SCHWARZBACH (Bertram E.), « Profil littéraire de l'auteur des *Examens de la Bible* », dans *La Philosophie clandestine à l'âge classique*, actes du colloque de l'université Jean-Monnet, Saint-Étienne, 29 septembre – 2 octobre 1993 (Antony McKenna éd.), Oxford, Voltaire Foundation, 1998.

SCHWARZBACH (Bertram E.), « La critique biblique dans les *Examens de la Bible* et dans certains autres traités clandestins », *La Lettre clandestine*, 4, 1995 [rééd. *La Lettre clandestine* 1 à 4, Paris, Presses universitaires de Paris-Sorbonne, 1999].

SCHWARZBACH (Bertram E.), « Les études bibliques à Cirey », dans *Cirey dans la vie intellectuelle. La réception de Newton en France. Actes du colloque de Joinville, 1995* (présentation par François de Gandt), *SVEC*, n° 11, 2001.

SETH (Catriona), « Deux lettres inédites de Mme Du Châtelet », *Revue Voltaire*, n° 3, 2003.

SHOWALTER (English), *Françoise de Graffigny, her Life and Works*, Oxford, Voltaire Foundation, *SVEC*, n° 11, 2004.

SIMONIN (Charlotte) et SMITH (David), « Du nouveau sur M^me Denis », dans *Cahiers Voltaire*, 2005, n° 4, p. 25-56.

**Smith 2004.** SMITH (David), « Nouveaux regards sur la brève rencontre entre M^me Du Châtelet et Saint-Lambert », dans *The Enterprise of Enlightenment. A Tribute to David Williams from his Friends* (Terry Pratt et David McCallam éd.), Oxford / New York, Peter Lang, 2004.

*Stanislas et son Académie*, actes du colloque du 250^e anniversaire, Nancy, Académie de Stanislas, recueillis et publiés par Jean-Claude Bonnefont, Nancy, Presses universitaires de Nancy, 2003.

**Taton 1969.** TATON (René), « Madame Du Châtelet, traductrice de Newton », *Archives internationales d'histoire des sciences*, t. XXII, juillet-décembre 1969.

**Terrall 1995.** TERRALL (Mary), « Émilie Du Châtelet and the Gendering of Science », *History of Science*, n° 33, 1995.

TERRALL (Mary), « The Uses of Anonymity in the Age of Reason », dans *Scientific Authorship. Credit and Intellectual Property in Science* (Mario Biagioli et Peter Galison éd.), New York, Routledge, 2003.

**Terrall 2004.** TERRALL (Mary), « *Vis Viva* Revisited », *History of Science*, n° 43, 2004.

**Vaillot 1978.** VAILLOT (René), *Madame Du Châtelet* (préface de René Pomeau), Paris, Albin Michel, 1978.

VAILLOT (René), *Avec madame Du Châtelet. 1734-1749*, vol II de *Voltaire en son temps* (René Pomeau dir.), Oxford, Voltaire Foundation / Taylor Institution, 1985-1994.

**Voltaire 1968-1977.** VOLTAIRE, *Correspondence and Related Documents* (Theodore Besterman éd.), Genève / Toronto, / Banbury / Oxford, Voltaire Foundation, 1968-1977 (t. 85-131 de *The Complete Works of Voltaire*)

**Wade 1941.** WADE (Ira Owen), *Voltaire and Madame Du Châtelet. An Essay on the Intellectual Activity at Cirey*, Princeton (NJ), Princeton University Press, coll. « Princeton Publications in Romance Languages », 1941.

WADE (Ira Owen), *Studies on Voltaire with Some Unpublished Papers of M^me Du Châtelet*, Princeton, Princeton University Press, 1947.

WADE (Ira Owen), *The Intellectual Development of Voltaire*, Princeton (NJ), 1969.

**Waithe 1991.** WAITHE (Mary Ellen), « Gabrielle Émilie Le Tonnelier de Breteuil Du Châtelet-Lomont », *A History of Women Philosophers*, (M. E. Waithe éd.), vol. III, Boston, 1991.

**Walters 1967.** WALTERS (Robert L.), « Chemistry at Cirey », Voltaire Foundation, *SVEC*, vol. 58, 1967.

WHITFIELD (Agnès), « Émilie Du Châtelet traductrice de Newton, ou la "traduction-confirmation" », dans *Portraits de traductrices* (Jean Delisle éd.), Arras, Artois presses université / Ottawa, Presses de l'Université d'Ottawa, 2002.

**Wolvesperges 2000.** WOLVESPERGES (Thibault), *Le Meuble français en laque au XVIII^e siècle*, Bruxelles / Paris, Éditions Racine / Éditions de l'Amateur, 2000.

WOOLSTON (Thomas), *Six discours sur les miracles de Notre Sauveur. Deux traductions manuscrites du XVIII^e siècle dont une de M^me Du Châtelet* (William H. Trapnell éd.), Paris, Honoré Champion, 2001.

ZANCONATO (Alessandro), *La Dispute du fatalisme en France, 1730-1760*, Fasano, Paris, Presses de l'université de Paris-Sorbonne, Schena éditeur, coll. « Biblioteca della ricerca. Mentalità e scrittura », n° 3, 2004.

**Zinsser 2001.** ZINSSER (Judith P.), « Translating Newton's *Principia*. The Marquise Du Châtelet's Revisions and Additions for a French Audience », The Royal Society of London, Notes & Records, vol. 55, n° 2, 2001, p. 227-245.

ZINSSER (Judith P.), « Entrepreneur of the Republic of Letters. Émilie de Breteuil, Marquise Du Châtelet, and Bernard Mandville's *Fable of the Bees* », *French Historical Studies*, n° 25, 2002.

**Zinsser et Courcelle 2003.** ZINSSER (Judith P.) et COURCELLE (Oliver), « A Remarkable Collaboration, the Marquise Du Châtelet and Alexis Clairaut », Oxford, Voltaire Foundation, *SVEC*, n° 12, 2003.

ZINSSER (Judith P.), « A Prologue for "la Dame d'esprit" : the Biography of the Marquise Du Châtelet », *Rethinking History, the Journal of Theory and Practice*, n° 7, 1, printemps 2003.

**Zinsser 2005.** ZINSSER (Judith P.), « The Many Representations of the Marquise Du Châtelet », dans *Men, Women and the Birthing of Modern Science* (Judith P. Zinsser éd.), DeKalb (IL), Northern Illinois University Press, 2005.

# Index des noms de personnes

Les numéros renvoient aux pages

Agnesi, Maria Gaetana : 113
Aiguillon, Anne Charlotte de Crussol-Florensac, duchesse d' : 28, 73
Alexandre, marchande de mode : 48
Algarotti, Francesco : 28, 54, 78, 93, 94, 95, 109
Alliot, François-Antoine-Pierre : 83
Angran de Fonspertuis, Louis Augustin vicomte : 62
Arenberg, Léopold Philippe Charles duc d' : 28, 36
Argenson, famille : 18
Argenson, Marc Pierre de Voyer, comte d' : 24, 30, 54, 96
Argenson, René Louis de Voyer, marquis d' : 24, 30, 82
Autrey, Marie Thérèse Fleuriau, comtesse d' : 25
Baculard d'Arnaud, François Thomas Marie : 83
Baradelle : 59, 103
Barier, graveur : 74
Bassi Veratti, Laura : 113
Bassompierre, Charlotte de Beauvau-Craon, marquise de : 38
Bellinzani, Anne : voir Ferrand
Benoît XIV, pape : 113
Bernières, Marguerite Madeleine Du Moutier, marquise de : 106
Bernis, François Joachim de Pierres, cardinal de : 62
Bernoulli, Johann : 28, 59, 69, 85, 91, 100, 116
Beuchot, Adrien Jean Quentin : 105
Bion, Nicolas : 88
Biron, Louis-Antoine de Gontaut, maréchal duc de : 26
Boivin : 48
Boivin de Villeneuve ; 112
Bonnier de La Mosson, Joseph : 60
Bossuet, Jacques Bénigne : 111
Boufflers, Madeleine Angélique de Neuville-Villeroy, duchesse de : 28
Boufflers, Marie Françoise Catherine de Beauvau-Craon, marquise de : 29, 31, 38, 39
Bouhier, Jean : 52, 54, 98
Bourbon, Louis Henri de Bourbon-Condé, duc de : 63
Bourgogne, Louis, duc de : 74
Bragelongne : 110
Brancas, Louis Antoine, duc de : 27
Brancas, Marie Angélique Frémyn, duchesse de : 27
Breteuil, Claude Le Tonnelier de : 15
Breteuil, Claude Charles Le Tonnelier de : 17
Breteuil, Élisabeth Théodose, abbé de : 17, 20

Breteuil, François Victor Le Tonnelier, marquis de : 17, 20, 30
Breteuil, Louis Le Tonnelier de : 15
Breteuil, Louis Auguste Le Tonnelier, baron de : 17
Breteuil, Louis Nicolas Le Tonnelier, baron de : 10, 12, 15, 16, 17, 18, 20, 21, 22, 55, 65, 88
Breteuil, Gabrielle Anne de Froulay, baronne de : 10, 12, 16, 18
Brucker, Jacob : 116
Buffon, Georges Louis Leclerc, comte de : 24, 28,
Calmet, dom Augustin : 23, 108, 109
Camus, Charles Étienne Louis : 73
Carré de Montgeron, Louis Basile : 107, 108
Cassini Jacques : 11
Caumartin, famille : 18
Caumartin, Louis Urbain Le Fèvre de : 22
Celsius, Anders : 73
Champbonin, Anne-Antoinette-Françoise Paulin, Mme Du Raget de : 28, 78, 103, 116
Charliers : 35, 42
Chaulnes, Anne Josèphe Bonnier de La Mosson, duchesse de : 73
Chéron, 67
Cherpitel, Mathurin : 64
Chimay, Charlotte de Rouvroi Saint-Simon, princesse de : 28
Cicéron : 111
Cideville, Pierre Robert Le Cornier de : 60, 69, 76, 80, 81, 83, 96, 113
Clairaut, Alexis-Claude : 11, 13, 27, 28, 73, 85, 86, 87, 89, 90, 91, 94, 95, 96, 101, 114
Clarke, Samuel : 85
Clermont, Louis de Bourbon-Condé, comte de : 103
Colbert, Jean-Baptiste : 15
Colet, Louise : 114
Collé, Charles : 73
Columbrano, princesse de : 100
Condé, Louis II de Bourbon, prince de : 33
Condillac, Étienne Bonnot de : 112
Condorcet, Jean Antoine Nicolas de Caritat, marquis de : 105
Courchamps, Maurice de : 20
Créquy, Renée Caroline de Froulay, marquise de : 20, 81, 83
Curie, Marie : 92
D'Alembert, Jean Le Rond : 11, 90, 92
D'Argental, Charles Augustin Fériol, comte : 17, 20, 25, 57, 71, 76, 80, 82
D'Argental, Jeanne Grâce Bosc Du Bouchet, Mme : 76

Dacier, Anne : 88
De Hooge, Romain : 36
Defraine, J. : 76
Deidier, abbé : 99
Denis, Nicolas Charles : 79
Denis, Marie Louise Mignot, Mme : 9, 13, 25, 27, 43, 54, 79, 80
Descartes, René : 111
Desnoiresterres, Gustave : 76
Destouches, André Cardinal : 44
Devaux, François Étienne : 38, 47, 52, 82, 83
Diderot, Denis : 11, 62
Dordelu du Fays : 112
Dortous de Mairan, Jean-Jacques : 13, 28, 98, 99, 100, 110
Du Bocage, Anne-Marie : 113
Du Bouchet, Jeanne Grâce Bosc, voir D'Argental, Mme
Duchapt : 48
Du Châtelet-Lomont, Florent Claude, marquis : 12, 23, 24, 25, 30, 37, 48, 55, 56, 68, 103
Du Châtelet-Lomont Florent Louis, duc : 12, 26, 30, 53, 54, 64, 86, 96, 112
Du Châtelet-Lomont, Françoise Gabrielle Pauline : voir Montenero
Du Châtelet-Lomont, Gabrielle Émilie Le Tonnelier de Breteuil, marquise : passim
Du Châtelet-Lomont, Florent, marquis : 24
Du Châtelet-Lomont, Stanislas Adélaïde : 13
Du Châtelet-Lomont, Victor Esprit : 12, 26
Du Châtelet-Clémont, François-Bernardin, marquis : 24
Du Châtelet-Clémont, Armande Gabrielle Du Plessis Richelieu, marquise : 24
Du Deffand, Marie de Vichy de Chamrond, marquise : 9, 10, 25, 28, 30, 35, 41, 73, 105
Du Maine, Anne Louise Bénédicte de Bourbon-Condé, duchesse : 28, 33, 34, 41, 44
Du Moutier, Marguerite Madeleine : voir Bernières : 106
Du Resnel, Jean François Du Bellay : 28
Duchange, G : 25
Dulac, parfumeur : 48, 51
Dumas d'Aigueberre, Jean : 26
Dupin de Francueil, Louis-Claude : 104
Dupin, Claude : 25
Duvaux, Lazare : 64
Duvernet, Théophile-Imarigeon, abbé : 80

L'Empereur : 48
Euler, Leonhard : 86, 90, 91, 96
Fargeon, parfumeur : 51
Fayolle : 48, 67
Fénelon, François de Salignac de
  La Mothe : 74
Fermat, Pierre de : 90
Ferrand, Anne Bellinzani, présidente :
  16
Feydeau de Marville, Claude-Henri : 80
Flaubert, Gustave : 114
Fontaine-Martel, Antoinette-
  Madeleine de Bordeaux, comtesse
  de : 76
Fontenelle, Bernard Le Bovier de :
  11, 21, 89, 94
Forcalquier, Louis Bufile de Brancas,
  comte de : 27, 30, 76
Formey, Johann Heinrich Samuel : 98
Fouquet, Nicolas : 15
Frédéric II, roi de Prusse : 72, 74, 79,
  80, 94
Froulay, Gabrielle Anne de,
  voir Breteuil
Galland, Antoine : 109
Gaucherelle : 48
Gaussin, Jeanne Catherine : 13, 43,
  80, 96
Genlis, Stéphanie-Félicité Du Crest,
  comtesse de : 24, 69
Geoffrin, Marie-Thérèse Rodet, M^me :
  27, 30, 57, 65
Gillet : 48, 67
Girard, 65
Girost : 48, 67
Graffigny, Françoise Du Buisson
  d'Issembourg d'Happoncourt,
  M^me Huguet de : 9, 26, 38, 42, 47,
  51, 52, 53, 54, 55, 65, 66, 68, 78,
  79, 82, 83, 85, 88, 103, 116
Grandjean de Fouchy, Jean Paul : 90
Gravesande, Willem Jacob's : 85, 92,
  114
Grimm, Friedrich Melchior, baron de :
  105, 108
Guébriand, marquis : 31, 42, 43
Guyot Desfontaines, Pierre François :
  78
Hébert : 48, 51, 67
Helvétius, Claude-Adrien : 95
Helvétius, Anne-Catherine
  de Ligniville, M^me : 78
Hénault, Charles Jean François : 22,
  25, 28, 30, 54
Héré, Emmanuel : 38,
Homère : 111, 112
Houbigant, parfumeur : 51
Houdetot, Élisabeth de La Live
  de Bellegarde, comtesse d' : 81
Huber, Jean : 109
Huet, Pierre Daniel : 108, 109
Hutcheson, Francis : 112
Jacobsen, Jean-Corneille : 112
Jacquier, François : 28, 65, 86, 87, 90,
  91, 92, 101, 102, 113, 114

Jurin, James : 86
Kaendler, Johann Joachim : 62, 69
Keill, John : 85
Koenig, Johann Samuel : 72, 86, 89,
  96, 98, 99, 100
La Bruyère, Jean : 16
La Condamine, Charles Marie de : 96
La Fosse, M^me : 106, 107, 108
La Frenaye : 63
La Mettrie, Julien Offray de : 116
La Motte, Antoine Houdar de : 21,
  44, 112
La Neuville, Jeanne-Charlotte de Viart
  d'Attigneville, comtesse de : 28
La Popelinière, Françoise-Catherine-
  Thérèse Boutinon Des Hayes,
  M^me Le Riche de : 28
La Vallière, Louis-César de La Baume
  Le Blanc, duc de : 28, 35,
La Vigne : 48, 67
Lambert de Thorigny : 25
Lauraguais, Louis II de Brancas,
  duc de : 23
Le Blanc, Jean-Bernard, abbé : 51, 52,
  54, 98
Le Brun : 48, 67
Le Court, Chrétienne, M^me de
  Breteuil : 15
Le Fèvre de Caumartin de Mormans,
  Marie-Anne : 15, 16
Le Roy : 48
Le Roy, Julien : 88
Le Seur, Thomas : 87, 92, 114
Le Sueur, Eustache ; 25
Leibniz, Gottfried Wilhelm : 11, 85,
  91, 96, 98, 100, 102
Le Monnier, Pierre Charles : 73
Levesque de Pouilly, Louis-Jean : 112
Ligne, Charles Joseph, prince de : 49
Lintot, Catherine Cailleau de : 116
Longchamp, Sebastian-G. : 30, 34, 46,
  80, 81, 85, 109
Louis XIV : 15, 16
Louis XV : 17, 23, 32, 60, 70
Louis XVI : 17
Louville, Jacques d'Allonville,
  chevalier de : 92
Lubin, parfumeur : 51
Lully, Jean-Baptiste : 32
Luxembourg, Marie-Sophie-Honorate
  Colbert de Seignelay, princesse
  de Tingry, duchesse de : 28
Luynes, Charles-Philippe d'Albert,
  duc de : 32
MacLaurin, Colin : 92, 114
Magny, Alexis : 88
Mailly, Louise de Nesle, comtesse
  de : 28
Malebranche, Nicolas : 111
Mandeville, Bernard de : 11, 109
Mantoue, Charles III Ferdinand de
  Gonzague, duc de : 16, 20
Marais, Mathieu : 106
Marie Leszczynska : 27, 30, 46
Martin, frères : 64

Maupertuis, Pierre Louis Moreau de :
  9, 11, 12, 26, 27, 28, 42, 72, 73, 74,
  85, 86, 89, 90, 91, 94, 95, 96, 98,
  103, 112
Maurepas, Jean-Frédéric Phélypeaux,
  comte de : 30, 31
Mazarin, Jules, cardinal : 15
Mehemet Reza Beg, ambassadeur de
  Perse : 20
Mézières, M. de : 24
Michelle : 17
Migeon, Pierre : 63
Mignardi, Francesco ; 93
Milton, John : 113
Mitford, Nancy : 114
Moncrif, François-Augustin Paradis
  de : 28, 35, 46
Mondon, Jean : 51
Montenero, Alphonse Caraffa
  d'Espina, duc de : 26
Montenero, Françoise-Gabrielle-
  Pauline Du Châtelet, duchesse de :
  12, 26, 54
Montesquieu, Charles de Secondat,
  baron de : 30, 111
Morand, Sauveur-François : 107, 108
Mouhy, Charles de Fieux, chevalier
  de : 80
Moussinot, Bonaventure, abbé : 25,
  51, 52, 65, 96, 103, 104
Musschenbroek Petrus van : 85
Newton, Isaac : 11, 13, 59, 72, 85, 86,
  87, 91, 92, 94, 96, 101, 102, 119,
  114, 116
Noailles, Louis-Antoine cardinal de :
  107
Nollet, Jean-Antoine, abbé : 58, 88,
  103, 104
O'Brien of Clare, Laura : 17
Outhier, Réginald : 73, 95
Pagny : 59, 103
Parabère, Marie-Madeleine de
  La Vieuville, marquise de : 51
Paris, François, diacre : 107, 108
Pemberton, Henry : 92, 114
Perrault, Charles : 109
Pesne, Antoine : 79
Picard, Bernard : 25
Pompadour, Jeanne-Antoinette
Poisson, M^me Lenormant d'Étiolles,
  marquise de : 44, 60, 63, 64, 67
Pont-de-Veyle, Antoine de Fériol,
  comte de : 76
Pope, Alexander : 111
Prault, Laurent François : 112
Prévost, Antoine François, abbé : 112
Provost, parfumeur : 51
Quiret : 48
Rameau, Jean Philippe : 32
Ramponneau : 30
Raynal, Guillaume-Thomas, abbé :
  114
Réaumur, René-Antoine Ferchault
  de : 28, 96
Regnault, Noël : 85

Revel, Jean : 49
Richard, Robert, 60, 68
Richelieu, Marie-Élisabeth-Sophie
    de Lorraine, princesse de Guise,
    duchesse de : 25, 28, 66, 73, 78
Richelieu, Louis-François-Armand
    Du Plessis de Vignerot, maréchal
    duc de : 24, 27, 30, 32, 33, 42, 70,
    71, 73, 74, 80
Ricois, Isidore : 93
Rohan, Louis-François vicomte de : 38
Rohault, Jacques : 85
Rousseau, Jean Baptiste : 21,
Rousseau, Jean-Jacques, 81
Sade, Jacques-François-Paul-
    Alphonse, abbé de : 26
Sade, Jean-Baptiste-François-Joseph,
    comte de : 83
Saint-Aulaire, François-Joseph
    de Beaupoil, marquis de : 110
Saint-Lambert, Jean-François,
    marquis de : 9, 13, 29, 37, 38, 43,
    80, 81, 82, 83, 87, 110

Saint-Pierre, Marguerite-Thérèse
    Colbert de Croissy, duchesse de :
    27, 30, 73, 76
Saint-Simon, Louis de Rouvroy, duc
    de : 16
Sallier, Claude, abbé : 101
Saxe, Maurice, maréchal de : 24
Saxe, Marie Josèphe de, dauphine : 67
Schelling, Friedrich Wilhelm Joseph
    von : 98
Schurman, Anna Maria van : 109
Sevin, Pierre : 89
Simon, Richard : 108
Spote : 48, 67
Staal de Launay, Marguerite Jeanne
    Cordier, baronne de : 33, 41
Stanislas Leszczynski, duc de Lorraine,
    roi de Pologne : 24, 28, 29, 37, 38,
    39, 66, 81, 83, 88
Steiger, Niklaus Friedrich : 105
Steinwehr, Wolf Balthasar Adolph
    von : 98
Suard, Amélie Panckoucke, M$^{me}$ : 83

Tencin, Claudine-Alexandrine
    Guérin, marquise de : 27, 28, 30, 51,
    76, 80
Ternisien d'Haudicourt : 117
Thiériot, Nicolas-Claude : 79, 112
Thil, M$^{lle}$ de : 57
Tournières, Robert : 72
Turgot, Anne Robert Jacques : 105
Vigier : 48
Villefort, chevalier de : 52, 60, 66
Villette, Charles-Michel, marquis de :
    83
Villevieille, J. F.Dufour, marquis de : 112
Voisenon, Claude-Henri de Fusée de :
    28, 35
Voltaire : passim
Wagnière, Jean-Louis : 76, 80
Walpole, Horace : 30
Waltrin, Jean Baptiste : 59
Whiston, William : 85, 92, 114
Wolff, Christian : 86, 102
Woolston, Thomas : 106, 108
Zanotti, Francesco Maria : 93

## Crédits photographiques

La plupart des documents reproduits dans cet ouvrage sont conservés dans les collections de la Bibliothèque nationale de France et leurs photographies ont été réalisées par le département Reproduction de la BNF, à l'exception des documents mentionnés ci-dessous (les chiffres renvoient aux pages)

Archives départementales de Meurthe-et-Moselle, Nancy
    © Archives départementales de Meurthe-et-Moselle /
    cliché R. Carton : p. 48
Les Arts décoratifs – musée des Arts décoratifs, Paris
    © Photo les Arts décoratifs / Laurent Sully Jaulmes – tous
    droits réservés : p. 47
    © Photo les Arts décoratifs / Jean Tholance – tous droits
    réservés : p. 61
    © Photo les Arts décoratifs / Jean Tholance – tous droits
    réservés : p. 67
Bibliothèque Mazarine, Paris
    © Bibliothèque Mazarine / photo Suzanne Nagy : p. 110
Bibliothèque-musée de la Comédie-Française, Paris
    © Collections de la Comédie-Française / cliché
    Patrick Lorette : p. 81
Centre historique des Archives nationales, Paris
    © CHAN : p. 23
Château de Breteuil, Choisel, Yvelines
    © Henri-François de Breteuil / photos Studio Lorelle : p. 18
    © Henri-François de Breteuil / photo Philippe Sébert : p. 84
Collection particulière
    Droits réservés / cliché Alain Bouhanna : p. 107
Conservatoire national des arts et métiers, Paris
    © Musée des Arts et Métiers – CNAM / photo M. Favareille :
    p. 102
Hôtel national des Invalides, musée de l'Armée, Paris
    © Musée de l'Armée – Paris : p. 70
Musée archéologique de Touraine, Hôtel Goüin, Tours
    Collection de la Société archéologique de Touraine
    © Société archéologique de Touraine / photo
    Patrick Bordeaux : p. 104

Musée Carnavalet, Paris
    © PMVP / cliché Toumazet : p. 25
Musée des Beaux-Arts de Bordeaux
    © Photo RMN / © A. Danvers : p. 19
Musée des Beaux-Arts de Dijon, palais des États de Bourgogne
    © Musée des Beaux-Arts de Dijon / photo Michel Bourquin :
    p. 93
Musée des Beaux-Arts de Valenciennes
    © Photo RMN / © René Gabriel-Ojéda : p. 40
Musée du Louvre, Paris
    Département des Arts graphiques
    © Photo RMN / © Michèle Bellot : p. 14
    © Photo RMN / © Thierry Le Mage : p. 115
    © Photo RMN / © Martine Beck-Coppola : p. 114
    Département des Objets d'art
    © Photo RMN / © Martine Beck-Coppola : p. 88
    Département des Peintures
    © Photo RMN / © Daniel Arnaudet : p. 78
Musée Galliéra, musée de la Mode de la Ville de Paris
    © PMVP / cliché Ladet / Pignol Claire : p. 49 en haut
    © PMVP / cliché Degraces / Joffre : p. 49 en bas
Musée international de la Parfumerie, Grasse
    © Musée international de la Parfumerie / photo
    Carlo Barbiero : p. 51
Musée Lorrain, Palais ducal, Nancy
    © Musée historique Lorrain, Nancy / photo P. Mignot : p. 52
    © Musée Lorrain, Nancy / photo Gilbert Mangin : p. 81
Versailles, châteaux de Versailles et de Trianon
    Musée national du Château
    © Photo RMN / © Gérard Blot : p. 37
    © Photo RMN / © Gérard Blot : p. 75

Cet ouvrage a été composé en Plantin et Corporate
Photogravure : APS Chromostyle, Tours
Achevé d'imprimer en mars 2006
sur les presses de l'imprimerie
Snoeck-Ducaju & Zoon à Gand, Belgique
sur papier permanent Zanders Mega matt, 150 g
Dépôt légal : février 2006